滑坡侵蚀研究

Research on Slide Erosion

郑书彦　李占斌　著

U0343805

黄河水利出版社

内 容 提 要

　　本书应用土壤侵蚀学、动力滑坡学、地质学、地貌学等理论,给出了滑坡侵蚀的定义、形态要素、分类、灾害链、形成条件、诱发因素及与其他重力侵蚀的区别等;运用多种手段对典型滑坡的地层岩性、物理力学性质进行了现场调查与试验,建立了用于典型滑坡侵蚀计算的地质模型;用数值模拟方法研究了典型滑坡侵蚀体力学机制和运动过程;利用信息量理论对典型区域滑坡侵蚀进行定量评价研究等,初步建立了滑坡侵蚀的分析研究体系。

　　本书可供土壤侵蚀、水土保护和环境地质等专业的科技、管理人员参阅;也可作为土壤学等各类专业大学生、研究生的参考书。

图书在版编目(CIP)数据

　　滑坡侵蚀研究/郑书彦,李占斌著.—郑州:黄河水利出版社,2005.7
　　ISBN 7－80621－942－0

　　Ⅰ.滑…　　Ⅱ.①郑…②李…　　Ⅲ.滑坡－侵蚀－研究
Ⅳ.P642.22

　　　　中国版本图书馆 CIP 数据核字(2005)第 081059 号

———————————————————————————————————

出　版　社:黄河水利出版社
　　　　　　地址:河南省郑州市金水路 11 号　　邮政编码:450003
发行单位:黄河水利出版社
　　　　　　发行部电话:0371－66026940　　　传真:0371－66022620
　　　　　　E-mail:yrcp@public.zz.ha.cn
承印单位:黄河水利委员会印刷厂
开本:787 mm×1 092 mm　　1/16
印张:9.5
字数:220 千字　　　　　　　　　　印数:1—1 000
版次:2005 年 7 月第 1 版　　　　　印次:2005 年 7 月第 1 次印刷

———————————————————————————————————

书号:ISBN 7－80621－942－0/P·45　　　　　　定价:28.00 元

序　一

　　水土流失是我国黄土高原地区乃至世界面临的最为严重的灾害性生态环境问题,越来越受到人们的关注。滑坡侵蚀则是水土流失的主要形式之一,其侵蚀量在水土流失总量中占有很大比重。因此,滑坡侵蚀等重力侵蚀的治理成为黄土高原地区水土流失治理的迫切任务。

　　新中国成立以来,国家有关部门曾多次组织涉及水土保持的攻关研究,探寻黄土侵蚀和流失机理,寻找治理对策,并取得了一系列重要成果,但滑坡和崩塌侵蚀方面的研究还比较薄弱。

　　土体大量滑塌,从局部和个体上看,是土工中所说的滑坡,但从宏观和大范围看,则是水土流失的一种方式。由于黄土高原地区沟谷纵横、河道深切、地形复杂、雨量虽少但多暴雨,便为滑坡的多发提供了条件,正因为如此,滑坡侵蚀便成为黄土高原地区水土流失的一种重要方式,是重力侵蚀的主要类型,是黄土高原陡坡侵蚀产沙和沟道侵蚀产沙的主要来源。但是,如前所述,从水土流失机理方面对滑坡侵蚀的研究还比较薄弱,应当加强。值得庆幸的是,郑书彦博士等的研究和本论著《滑坡侵蚀研究》的出版,及时丰富了滑坡侵蚀研究的宝库,推进了滑坡侵蚀的理论和实践研究。

　　在本书中作者分析了黄土高原典型滑坡侵蚀发生原因、典型地区滑坡侵蚀分布,在此基础上探讨了土壤侵蚀学与滑坡学之间的联系,建立了滑坡侵蚀的分析研究体系,用数值模拟方法研究了典型滑坡侵蚀力学机制和运动过程,并利用信息量理论对典型区域滑坡侵蚀进行了定量评价研究。可贵之处是,这些研究和探索建立在作者对发生现场的调查研究和典型实例的分析的基础上,从而能给人们以新鲜实在的启示。

　　该书表明作者所进行的研究是揭示滑坡侵蚀机理,并以建立滑坡侵蚀定量评价模型为目标,通过对黄土高原滑坡侵蚀及主要影响因素的分析,揭示滑坡侵蚀的机理,对滑坡侵蚀造成的水土流失量进行定量。这些成果对开拓土壤侵蚀研究新领域,推动土壤侵蚀动力学发展,建立黄土高原土壤侵蚀预报模型,具有重要的学术价值;对预防和治理黄土高原以滑坡侵蚀为主的重力侵蚀所造成的水土流失具有重要的实践意义。在书中作者应用土壤侵蚀学、地质学、地貌学等理论,结合黄土高原滑坡侵蚀的实际,论述了滑坡侵蚀的形态要素、分类、灾害链、形成条件、诱发因素及与其他重力侵蚀的区别等。在研究过程中,作者运用多种手段对典型滑坡的地层岩性、物理力学性质进行了现场调查与试验,建立了用于滑坡侵蚀计算的地质模型,初步建立了滑坡侵蚀的分析研究体系。

　　另一个值得肯定的方面是,作者将自己的理论研究成果成功地应用于剖析陕西省铜川市量大面广的滑坡侵蚀,进而验证了自己理论研究的实用价值。

　　面对水土流失研究亟待深化、黄土高原治理亟待强化的形势,我要再次祝贺《滑坡侵蚀研究》一书的问世。

2005 年春

序 二

黄土高原这块神秘、古老、举世瞩目的苍茫大地,是中华民族的摇篮,华夏文明的发祥地之一。这片古老的土地孕育了炎黄子孙,创造了灿烂辉煌的农耕文化。长期以来,正是这里独特的自然环境、悠久的历史,造成了黄土高原地区严重的水土流失和风沙危害等生态环境问题。据统计,黄土高原地区共有水土流失面积约 50 万 km²,其中,年土壤侵蚀模数大于 5 000 t/km² 的严重水土流失区约 14.5 万 km²,是世界上水土流失最严重的地区之一。加之人们对自然资源的不合理利用,毁林毁草开荒,滥挖乱采石矿,进一步加剧了这一地区的生态环境恶化。一方面,脆弱的生态环境,严重地影响了当地的经济发展和人民生活水平的提高;另一方面,水土流失和风蚀沙化使大量泥沙进入黄河,导致黄河下游干流河床逐年淤高,潜在的洪涝灾害已经严重地威胁着黄淮海平原数以万计人民生命财产安全以及广大地区的经济发展。为此,党中央、国务院历来都高度重视对这片黄土地病态环境的综合治理。特别是 20 世纪 90 年代中期,江泽民同志提出了"再造一个山川秀美的西北地区"和"实施西部大开发战略",再一次将黄土高原的综合治理提到了一个新的高度。

关于黄土高原水土保持的科学研究工作,国家一直十分关注与重视。自 20 世纪 50 年代以来,国家有关部委、各有关省市区和一些大专院校,就在该地区做了大量的科学研究和试验工作,取得了丰硕的科研成果。特别是近些年来,关于水土保持方面的科研成果,更是雨后春笋般呈欣欣向荣、蓬勃发展之势。正是在这样的大背景下,积极探索土壤侵蚀学与滑坡学之间耦合关系的新兴学科——滑坡侵蚀研究应运而生也就成为了时代必然。

郑书彦博士等所著《滑坡侵蚀研究》一书,是从滑坡重力侵蚀的视角来探讨土壤侵蚀的有关问题。该书是在总结大量前人研究的基础上,通过现场考察、数值模拟、案例分析等,构建了滑坡侵蚀分析研究体系,提出了典型滑坡侵蚀体力学机制和运动过程,并对典型区域滑坡侵蚀进行了定量评价研究。

作者创新性地提出了滑坡重力侵蚀的定义、分类、形成条件、诱因,建立了典型滑坡重力侵蚀计算的地质模型;采用有限元数值模拟,建立了典型滑坡重力侵蚀的数学模型,全面系统地求得了滑坡重力侵蚀体不同部位的力学状态;运用离散单元法数值模拟,建立了典型滑坡重力侵蚀的运动模型,经过模拟计算,提出可以将典型滑坡重力侵蚀运动过程划分为启动破坏、剧动加速、高速运动、碰撞减速和停滞缓动五个阶段;利用信息量理论,建立了典型地区滑坡重力侵蚀的定量评价模型,通过对铜川市区滑坡重力侵蚀样本分析,绘制出了铜川市区滑坡重力侵蚀强度分布图。因此,该书既具理论创新,又有实践指导意义。

总之,该书是一部具有鲜明特色、创新性很强的科学专著。其中,书中提到的一些新观点和新认识,采用的一些新方法,不仅大大地丰富了我国在传统水土保持领域的研究内容,填补了土壤侵蚀学与滑坡学在重力侵蚀方面研究的空白,而且,必将对今后我国进一步开展黄土高原地区综合治理研究产生重大而深远的影响。

2005 年 3 月 18 日

目　录

Content

摘　要

中国黄土高原地域广阔,土层深厚,干旱、半干旱气候和黄土的特殊性质导致该地区水土流失非常严重。由于长期的水土流失,形成了沟壑纵横的破碎地貌景观,滑坡、崩塌等重力侵蚀非常活跃。滑坡侵蚀是重力侵蚀的主要类型之一,是黄土高原陡坡侵蚀产沙和沟道侵蚀产沙的主要来源。由于种种原因,重力侵蚀研究相对滞后,很多方面亟待深入的探讨。本书在前人大量研究的基础上,通过现场调查、数值模拟、典型案例剖析等途径,在分析了黄土高原典型滑坡侵蚀成因、典型地区滑坡侵蚀分布的基础上,尝试探索土壤侵蚀学与滑坡学之间的联系,初步建立了滑坡侵蚀分析研究体系;用数值模拟方法研究了典型滑坡侵蚀体力学机制和运动过程;利用信息量理论对典型区域滑坡侵蚀进行定量评价研究等。通过研究取得以下主要结果:

(1)应用土壤侵蚀学、地质学、地貌学等理论,给出了滑坡侵蚀的定义、形态要素、分类、灾害链、形成条件、诱发因素及与其他重力侵蚀的区别等;运用多种手段对典型滑坡的地层岩性、物理力学性质进行了现场调查与试验,建立了用于典型滑坡侵蚀计算的地质模型,初步建立了滑坡侵蚀的分析研究体系。

(2)利用弹塑性力学理论,建立了典型滑坡侵蚀的数学模型。通过有限元数值模拟,计算分析铜川市典型滑坡侵蚀体的网络变形、主应力、主应变、剪应力、安全率、破裂面上应力分布等,得到对典型滑坡侵蚀体不同部位的力学状态全面系统的把握。

(3)利用运动学基本定律,建立了典型滑坡侵蚀的运动学模型。通过离散单元法数值模拟,对滑坡侵蚀实例进行滑坡破坏后的运动过程仿真,得出了边坡破坏后滑坡侵蚀体运动过程中各块体不同时刻的运动状态、移动轨迹、接触力与角－边接触关系、形心平均主应力、形心平均位移、块体力矩、块体作用力、块体转角、块体速度、块体加速度等的历时曲线,模拟仿真滑坡侵蚀体动态运动过程,在此基础上得到了滑坡侵蚀体运动过程主要分为5个阶段的结论,对滑坡侵蚀体的滑动过程有了一个新的认识。

(4)利用信息量理论,建立了典型地区滑坡侵蚀定量评价模型。影响滑坡侵蚀的因素是多方面的,且各因素对滑坡侵蚀的贡献不同。影响滑坡侵蚀的因素状态从大到小为地下水出露在黄土底部的基岩面上、植被盖度小、人类活动强度大、沟谷密度密、地层结构为黄土与基岩、相对高差>50 m、地形坡度20°~45°、地形坡度>45°、地震加速度高、地下水出露在黄土坡体中共10个因子状态。

(5)本书通过现场调查和资料分析得出,在铜川市区82.50 km² 的面积上,滑坡侵蚀面积44.50 km²,占市区面积的53.94%;无滑坡侵蚀的面积38.00 km²,占市区面积的46.06%。铜川市区滑坡剧烈侵蚀区面积13.00 km²,占市区面积的15.76%;强烈侵蚀区面积20.00 km²,占市区面积的24.24%;中度侵蚀区面积25.25 km²,占市区面积的30.61%;轻度侵蚀区面积6.00 km²,占市区面积的7.27%;微弱侵蚀区面积18.25 km²,占市区面积的22.12%。铜川市区滑坡侵蚀中等以上强度区面积58.25 km²,占市区面积的 70.61%。铜川市区共有滑坡、崩塌、滑塌 451 个,其中,滑坡 127 个(老滑坡 43 个、新滑坡 84 个),占滑坡、崩塌、滑塌总数的 28.16%;滑塌 52 个,占 11.53%;崩塌 272 个,占 60.31%。崩塌的数量很多,但规模较小(崩塌侵蚀量 148.40 万 t,仅占侵蚀总量的 1.19%);滑塌的数量和侵蚀量(740.50 万 t,占侵蚀总量的 5.96%)也较少;滑坡的个数虽少,但侵蚀量却很大(11 542.60 万 t,占侵蚀总量的 92.85%),可见铜川市区滑坡侵蚀程度非常强烈。运用本书建立的典型地区滑坡侵蚀定量评价模型,得出了铜川市区滑坡侵蚀强度分布图,经与实测资料对比,模型计算的可靠性和可信度较高。

Abstract

The loess is thick and widely distributed on Loess Plateau in China. The drought and semi – drought climate and the special properties of loess result in serious soil and water loss in the area. Therefore, the geomorphic landscape is usually characterized by gullies, where the gravity erosion such as slide and collapse are very active. Slide erosion, the main resource of gully sediment yield, is one of the most important types of gravity erosion. However, the gravity erosion, of which many aspects still need further research, has been lagged because of various reasons. In this book, firstly, with the achievements of many predecessors, based on the analysis of the erosion causes of loess plateaus and the distribution of slide erosion in typical areas by methods of field investigation, numeric analysis and typical cases analysis, the slide erosion analyzing system is tentatively founded which can express the relationship between soil and slop erosion. Secondly, the dynamical mechanics and movement of typical slide erosion body is deeply researched by method of numeric analysis. Finally, the regional slide erosion is quantitatively evaluated by method of information quantity theory. The main achievements are as follows:

1. It is put forward that the definition of slide erosion, the shape elements, classification, catastrophic chain, formation condition, inductive factors, the differences between slide erosion and other gravity erosion are suggested, based on the theories of soil erosion, geology, and geomorphology. The geological model to calculate the slide erosion is founded on the basis of many investigation and tests of the litho logic characters and mechanical properties of typical slide, based on which the slide erosion analyzing system is set up.

2. The mathematical – mechanical model of slide erosion is founded on the basis of the elastic – plasticity theory. Through the calculation of the network distortion, principal stress, principal strain, shear stress, safety rate and the stress distribution on the fractured surface of the typical slide in Tong – chuan city by finite element method, the mechanical situation of different parts of the typical slide are finally mastered.

3. Based on the principals of kinematics, the kinematics model of slide erosion is founded. After the discrete units simulation of the movement of collapsed slide, the duration curves of motion states, moving pathways, the relationship between contact force and angle – edge contact, mean principle stress, mean displacement, force moment and acting force, striking angles, velocity, accelerated velocity of different parts of the sample slide are obtained, as a result, the process of slide movement is divided into five stages, which is a new achievement to the slide erosion process.

4. The model of quantitatively evaluating slide erosion is founded according to the infor-

mation quantity theory. There are many factors that influence slide erosion, which are groundwater on the bedrock surface, thin plant cover, heavy human activity, high gully density, loess and bedrock layers, difference in elevation (which is bigger than 50 meters), degree of slide (between 20°and 40°), degree of slide (which is bigger than 45°), high – accelerate earthquake, groundwater inside the loess slide, of which the formers contribute much more than the laters to slide erosion.

5. Field investigation and numeric analysis shows that the total area of the studied zone in Tong – chuan is 82.50 square kilometers, where slide erosion area is 44.50 square kilometers, occupying 53.94% of the total area, the area without slide erosion is 38.00 square kilometers, occupying 46.06% of the total area, the serious slide erosion area is 13.00 square kilometers, occupying 15.76% of the total area, the drastic erosion area is 20.00 square kilometers, occupying 24.24% of the total area, the middle erosion area is 25.25 square kilometers, occupying 30.61% of the total area, the mild erosion area is 6.00 square kilometers, occupying 7.27% of the total area, the weak erosion area is 18.25 square kilometers, occupying 22.12% of the total area. The slide erosion area which is much more serious than middle – drastic erosion is 58.25 square kilometers, occupying 70.61% of the total area. There are total arealy 451 slides, falls, creeps in Tong – chuan city, where there are 127 slides (43 old slides and 84 new slides), occupying 28.16% of the total area, the 52 creeps occupying 11.53%, and the 272 falls occupying 60.31%. This shows that although the number of slides is at the very most, their scales are small yet (the erosion amount is 1,484 thousand tons, occupying 1.19% of the total area). Still, the number and erosion amount of creeps is also small (the erosion amount is 7,405 thousand tons, occupying 5.96% of the total area). However, although slide is small in number, it caused much serious erosion (the erosion amount is 115,426 thousand tons, occupying 92.85% of the total area). Thus it can be seen that the slide erosion in Tong – chuan city is really very drastic. The distribution maps of slide erosion obtained from the quantitative slide erosion evaluation model are very anastomoses with the measured data, which shows that this model is both reliable and believable.

第1章 绪 论

黄土高原地区跨北纬 33°43′~北纬 40°05′,东经 101°00′~东经 114°33′,南以横贯东西的秦岭山脉为天然屏障,北以长城为界,西至日月山、乌鞘岭一线,东界到达太行山东麓(图 1-1),总土地面积 45.0 万 km²。土壤侵蚀界所说的黄土高原(63.0 万 km²)其北界已经到了大青山南麓。

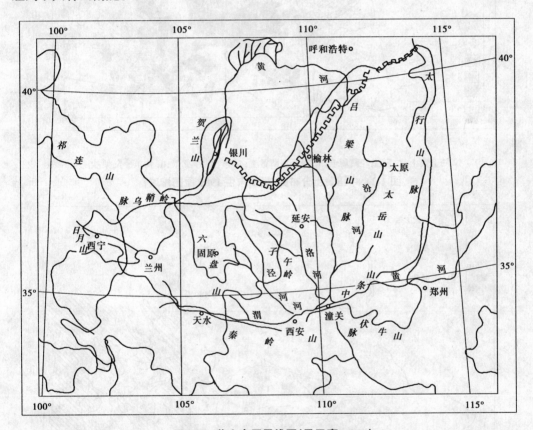

图 1-1 黄土高原界线图(马乃喜,1987)

中国的黄土分布区东以松辽平原为东北翼,西以新疆的黄土为西北翼,中以黄土高原为主体,并向南凸出呈弧形,总面积 63.0 万 km²(图 1-2),另外,西藏以及南海海域也有黄土零星分布。黄土自西北至东南分为三个带:砂黄土带、粉黄土带、黏黄土带(图 1-3)。黄土厚度目前见到的报道最厚达到了 505 m,实际厚度可能还要大得多(图 1-4)。

黄土地貌按其形态主要由黄土山地、黄土塬、黄土梁峁沟壑、黄土平原四大类组成,黄土梁峁地形切割深度 80~150 m;沟壑发育密度 0.8~2.5 km/km²,河谷沟壑的岸坡为黄土高陡边坡,地形坡度一般在 30°以上。这些高边坡往往是潜在的滑坡体,在不利条件下会发生突发性滑动。

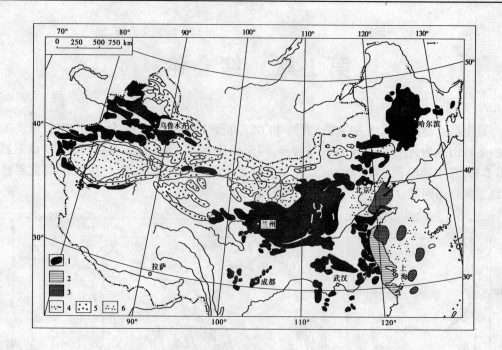

1.陆上黄土；2.陆上埋藏黄土；3.海下埋藏黄土；4.沙漠；5.戈壁；6.海滨—陆架沙漠

图 1-2　中国黄土分布图(据刘东生 1985 原图修改)

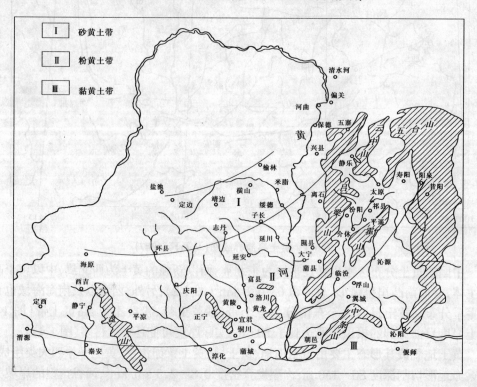

图 1-3　黄土高原马兰黄土粒度水平分带图(刘东生等,1966)

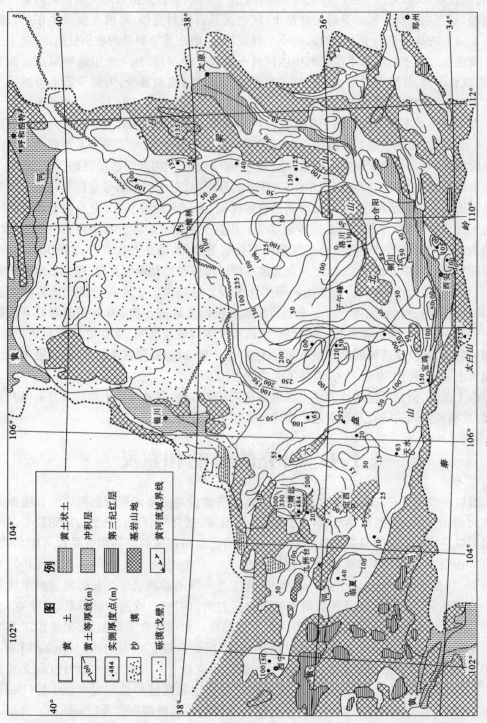

图1-4 黄土等厚线图(据滕志宏1989原图修改)

黄土高原地区为半干旱、半湿润气候区，该地区气候的主要特点是降雨量偏少，但多暴雨，蒸发量大，温差大，夏季炎热，冬季寒冷，空气干燥，暴雨是滑坡的主要诱发因素。黄土底部，基岩之上有少量的新近纪红黄土；该地区基岩相对完整，滑坡主要发生在基岩或红黄土以上的黄土地层中。该地区地下水埋藏深，一般在黄土斜坡的坡脚处出露，黄土层之下新近纪红黄土层或水平层状的中生代岩石构成了隔水层，地下水沿这些隔水层面分布，形成软弱带，导致斜坡沿饱水的软弱带滑动。该地区植被稀少，大部分黄土斜坡处于裸露状态，水土流失十分严重。

在大地构造上黄土高原属于华北地台西部的鄂尔多斯台向斜和贺兰山－六盘山台褶带；鄂尔多斯台向斜东缘与南缘的汾渭地堑为一新生代裂谷系，地壳沿一系列高角度正断层呈阶梯式断陷，关中盆地第四系最厚处超过 800 m。断陷内断层活动强烈，渭河断裂与秦岭山前断裂在一些地段形成高 200～300 m 的断层崖，滑坡沿断层带呈线性分布。汾渭裂谷带历史上地震活动强烈，地震活动具有频度低、强度大的特点，历史上大于 8 级的地震发生过 3 次，1556 年的华县地震导致了大面积黄土崩塌与滑坡。鄂尔多斯台向斜和扬子地台西缘与秦祁褶皱系和昆仑三江褶皱系接壤的地带，即东径 100°～东径 106° 之间，是我国地震最集中的地区，即所谓的南北地震带。沿该带活动断裂发育，断裂活动性质复杂，六盘山一带为逆冲性质，贺兰山一带为正断裂。沿该带历史地震与现代地震都很强烈，具有频度高、强度大的特点，历史上共发生 8 级以上地震 5 次，1920 年的海原 8.5 级地震是世界上死伤最为惨重的一次地震，震区形成的滑坡数量多、规模大，不仅摧毁道路、堵塞河谷，而且使震区局部地形发生明显改变，由于振动剧烈，形成了巨大的、罕见的黄土流或黄土瀑布，死亡 20 余万人，毁坏了大量的农田。

综上所述，研究区自然地理环境和地质背景复杂多变，各种环境下滑坡发育有其自身的特点，滑坡侵蚀的研究具有深远的理论意义和实际意义。

§1.1　研究的目的和意义

滑坡侵蚀在世界许多国家都有分布，对其经济建设造成不同程度的危害。如美洲的加拿大、美国、智利和巴西是滑坡侵蚀较发育的国家，据介绍（Eckel E.B.，1958），美国每年因滑坡侵蚀而造成的损失达数亿美元。早期的巴拿马运河两岸的滑坡是世界闻名的。1951～1952 年冬天，洛杉矶的滑坡侵蚀造成 750 万美元的损失（Broms B.B.，1975）。1964 年，阿拉斯加一次地震引起许多滑坡，其中之一顺海岸线长 2.7 km，垂直海岸线宽900 m，毁坏房屋 75 幢（铁道科学研究院西北研究所，1976）。欧洲的前苏联、前捷克、意大利、挪威、瑞典和英国等国家滑坡侵蚀也十分发育。如前苏联的高加索、黑海沿岸和西伯利亚是滑坡侵蚀严重的地区，每年造成的经济损失达数亿卢布（Гольдштейн М.Н.，1960）。前捷克境内的波希米亚、摩拉维亚和斯洛伐克均有不同程度的滑坡侵蚀，尤其在喀尔巴阡山附近更为严重，1961～1962 年期间曾登记的滑坡侵蚀超过 9 000 处（Broms B.B.，1975），甚至有一条铁路因支付不出整治滑坡侵蚀的费用而废弃（Zaruba Q.，Mencl V.，1969）。1963 年意大利北部瓦依昂水库库岸滑坡侵蚀是近年来世界上最大的水库失事事件，有 24 亿～26 亿 m³ 的岩石从托克山滑到水库中，几乎填满了 265 m 高的拱坝构成的水库,造成的波浪高达 100 m,在距离滑坡 2 km 处,波高仍大于 70 m,洪水越坝顶而过,冲毁 5 个村镇和 Longaranc 城,死亡约 2 000 人(Broms B.B.,1975;Zaruba Q., Mencl V.,1969)。亚洲的中国、印度、日本和伊朗是滑坡侵蚀较严重的国家。印度 1893 年在 Garhwal 发生的滑坡侵蚀是人类历史上的大滑坡之一,滑下的土体形成一个天然坝,长约 3.0 km,宽约 1.5 km,高约 295 m,约一年后,水越坝顶而过,放出 100 万 m³ 的水,冲毁了洪水流经的所有城市和村庄(Broms B.B.,1975)。日本滑坡侵蚀主要集中在新泻县附近的几个县中,据记载,1952 年防治滑坡侵蚀所需费用建设省为 3.89 亿日元、农林省为 2.227 亿日元,到 1972 年,分别上升为 53.4 亿日元和 49.72 亿日元。澳大利亚和新西兰也存在滑坡侵蚀。

我国也是世界上滑坡侵蚀较发育的国家之一,造成的危害是相当严重的。如 1920 年举世闻名的甘肃大地震,发生了很多滑坡,其中滑坡的旋涡像瀑布,裂缝吞下了房子和骆驼队,村庄被掩埋,死亡达 20 多万人。新中国成立后,陕西蓝田等处的大滑坡,滑下的土体也有数亿立方米,损失也是巨大的。我国幅员辽阔,2/3 的国土为山地,重力侵蚀相当严重,有些地区重力侵蚀是惟一的侵蚀方式(徐茂其等,1991;周择福等,2000),据不完全统计,每年发生的滑坡侵蚀数以万计,受其威胁的城市 70 多座,每年平均经济损失达 30 亿~50 亿元(地质矿产部环境地质研究所,1992)。我国黄土高原地区由于地质地貌条件复杂,山、塬、丘陵面积分布广,重力侵蚀更为突出,重力侵蚀具有数量多、分布广、灾害重等特点。据统计,陕西省因滑坡侵蚀每年伤亡数十人,直接经济损失达数百万元,大量耕地被毁坏(陕西省滑坡工作办公室,1995)。黄土高原地区生态环境十分脆弱,长期以来,水土流失十分严重(江忠善,1990;周佩华,1993;李壁成,1995;杨勤科等,1996;蒋定生,1996),目前黄土高原地区水土流失面积约 50 万 km²,其中土壤侵蚀模数大于 5 000 t/(km²·a)的严重水土流失面积约 14.5 万 km²,是当今世界上水土流失最为严重的地区之一(朱显谟,1989;杨文治、余存祖,1992;王万忠、焦菊英,1996;王万忠、焦菊英、郝小品,1999;雷廷武、邵明安、李占斌、王全九,1999)。

滑坡侵蚀的危害程度和影响范围虽然远不及地震,但全球因滑坡、崩塌造成的经济损失已超过了地震造成的损失,因其发生的范围广、频率高,是重力侵蚀中比较活跃的类型之一。由此可见,滑坡侵蚀的研究具有世界性,而黄土高原地区滑坡的研究更具重要意义。随着西部大开发的开展,黄土高原地区经济建设活动加速,斜坡环境日益恶化、滑坡侵蚀有日益加剧的趋势,为了建设良好的生态环境,防止滑坡侵蚀发生,必须加强滑坡侵蚀的研究,为水土保持规划提供理论依据。

§1.2 国内外研究现状

1.2.1 土壤侵蚀研究领域

多年来,重力侵蚀一直是黄土高原地区侵蚀研究的薄弱环节,所能找到的资料很少。蒋德麒(1966)对黄土高原小流域的重力侵蚀产沙作了分析,他认为,在丘陵沟壑区,重力侵蚀产沙占黄土高原丘陵沟壑区小流域的 20%～25%，在高塬沟壑区占 58%。曹银真(1981)研究了黄土地区重力侵蚀的机理及预报，认为黄土地区最主要的侵蚀方式是流水侵蚀和重力侵蚀。艾南山(1987)研究了新构造应力和自重应力场对侵蚀的作用。朱同新(1987)研究了黄土地区重力侵蚀发生的内部条件及地貌临界值。朱海之(1988)研究了地震引起的崩塌与滑坡，论述了震后的山体已经松动，在内外力的作用下很容易再遭破坏。龚时旸(1988)推算，在黄土高原的某些地区，重力侵蚀分布面积可占流域面积的 30%～50%。李天池、王淑敏(1988)论述了区域滑坡研究的内容、方法与步骤。靳泽先、韩庆宪(1988)研究了黄土高原滑坡分布特征及宏观机理。张信宝、柴宗新、汪阳春(1989)分析了黄土高原重力侵蚀的地形与岩性组合因子，提出了重力侵蚀的地形因子值概念，探讨了重力侵蚀强度的区域特征。朱同新、陈永宗(1989)以晋西黄土地区为研究区域，研究重力侵蚀产沙方式及强度，计算出晋西地区重力侵蚀量一般占总侵蚀量的 35%～46%，并运用模糊聚类方法对晋西地区重力侵蚀进行了区域划分。甘枝茂 1989 年著《黄土高原地貌与土壤侵蚀研究》一书，对重力侵蚀有所论述。中国科学院黄土高原综合考察队(1990)对黄土高原的重力侵蚀的区域特征进行了考察，提出了相应的防治对策，并指出，重力侵蚀产沙量，多采用直接量测法或调查法求得。据黄河水利委员会西峰水土保持科学试验站在南小河沟和山西省水保所在王家沟设置的泻溜侵蚀径流小区观测，坡度为 40°左右的上新世红黄土边坡的泻溜侵蚀模数为 20 000～30 000 t/($km^2 \cdot a$)。李昭淑(1991)以戏河流域为研究对象，研究了该流域的重力侵蚀规律，在小流域不同地貌位置，侵蚀方式、侵蚀能力和产沙量均有明显的区别，并指出，戏河流域侵蚀方式以重力侵蚀为主；水力侵蚀主要为溅蚀和片蚀，但在总侵蚀量中所占比例很小。宋克强等(1991)选择白鹿原滑坡区滑坡为原型进行了室内模拟，总结了黄土滑坡的三大特点，对滑坡的计算分析提出了一些新的看法。徐茂其等(1991)研究了九寨沟流域的土壤侵蚀，得出了该流域地表径流稳定、地面土壤冲刷微弱、重力侵蚀十分强烈和突出的结论。黄河水利委员会(1993)认为，重力侵蚀在沟壑内、时间上和空间上一般不是连续出现的，而是在某些部位、某些时间出现的。但每产生一处，则侵蚀量很大，一般几十、几百、几千立方米，有的几万、几十万立方米，个别的甚至达几千万立方米，成为小流域泥沙的主要来源。根据黄河水利委员会所属三个水保站在典型小流域的调查，重力侵蚀面积占流域面积百分比(A 值)和重力侵蚀流失量占总流失量百分比(Q 值)分别如下：黄土高原沟壑区的西峰南小河沟，A 值为 9.1%，Q 值为 57.5%；黄土丘陵沟壑区第三副区的天水吕二沟，A 值为 30.7%，Q 值为 68.0%；黄土丘陵沟壑区第一副区的绥德韭园沟 A 值为 12.9%，Q 值为 20.2%，可以看出重力侵蚀的严重性。李鸿连等人(黄河水利委员会，1993)的资料表明，甘肃省天水市北道区柿沟(簸箕洼)小流域源头有老滑坡分布，1985 年 7 月 28 日发生滑坡，而后迅速转变为泥流，又调查了甘肃境内 122 处泥石流，这些泥石流体内所含固体物质，约有 65% 是由滑坡产生的。黄土丘陵沟壑区第三副区的鹰嘴沟流域(黄河水利委员会，1993)，滑塌体面积占流域面积(2.5 km^2)的 58%，平均每平方公里内有滑塌体 13.5 万 m^3；同一类型地区的天水市的吕二沟，流域面积 12.0 km^2，有滑塌体 64 个，总体积 243.4 万 m^3，每平方公里内有滑塌体 20.3 万 m^3，由于滑塌发生时土体受到强烈扰动，大多为松散状且多裂缝，极易被水流冲走，1961 年吕二沟一次洪水就冲走滑塌体 10 万 t，占当年该沟土壤流失量的 42.6%。据黄河水利委员会西峰水土保持科学试验站在南小河沟泻溜面上设小区观测结果(黄河水利委员会,1993),在1993年6～10月的5个月内,流失泥沙量平均每平方米8.2 kg,据十八亩台水库淤积资料分析,泻溜面的入库泥沙约占淤积量的50%。黄土高原沟壑区的南小河沟流域布设测站(黄河水利委员会,1993),观测径流泥沙资料表明,塬面面积占全流域面积的65.8%,径流占67.4%,泥沙占12.3%;沟谷面积占全流域的24.7%,径流占24%,泥沙却占86.3%,沟谷带的侵蚀量绝大部分产生于沟床侵蚀和重力侵蚀,这两种侵蚀量占沟谷带侵蚀总量的96.2%,沟谷带的重力侵蚀方式又以泻溜侵蚀最活跃,约占沟谷带侵蚀量的65.5%。山西省水土保持研究所曾伯庆(黄河水利委员会,1993)在分析山西省离石县羊道沟流域(面积0.206 km^2)的泥沙来源后认为,沟涧地(占流域面积的49.73%)年侵蚀模数为6 740 t/km^2,沟谷地(占流域面积的50.27%)年侵蚀模数为27 300 t/km^2,后者约为前者的4倍。经过平衡分析后,该流域产生的泥沙有80%来自沟谷地。王德甫等(1993)利用遥感影像技术,对黄土高原的重力侵蚀进行调查,认为土壤侵蚀中,重力侵蚀与水力侵蚀是两个主要的而且是相互影响的侵蚀类型。唐川等(1994)利用模糊综合分析法对云南的崩塌滑坡进行危险度分区,按照危险度分为高、中、低和无危险四个等级。孙尚海等(1995)研究了中沟流域的重力侵蚀,该流域的重力侵蚀类型有浅层滑坡、表土滑移、滑塌、崩塌、泻溜,计算出1983～1989年全流域平均每年有0.9 mm的土层发生滑移。王维岳、蔡秋青(1996)对西宁市山地滑坡、崩塌灾害进行了实地调查和遥感分析,并提出了防治对策。付炜(1996)运用灰色系统模型对土壤重力侵蚀的观测值进行建模,为土壤重力侵蚀提供了一条定量化分析的新途径。李树德(1997)以武都白龙江流域为研究对象,对滑坡活动性进行探讨,认为滑坡在时间上有明显的四个活动期,最活跃的滑坡所在的地质单元的活跃度达0.832 6,并根据滑坡发生的频率周期、高程及地层岩性对该区斜坡稳定性进行了分区。王军等(1999)在对重力地貌过程特点分析的基础上,从地貌学角度出发就重力地貌过程的研究现状进行了综述,重点论述了近年来发展的各种理论与方法及遥感、GIS技术在重力地貌过程研究中的应用,并对今后重力地貌过程研究的难点进行了探讨。周择福等(2000)在五台山南梁沟自然风景区进行土壤侵蚀调查时指出,该区植被发育,主要侵蚀类型有滑坡与崩塌,偶有泥石流的发生。

综上所述,近十年来,重力侵蚀在黄土高原土壤侵蚀中的重要性逐渐得到认识,以前一些学者的土壤侵蚀分类中没有重力侵蚀的位置,这方面的研究工作也刚刚起步。滑坡等重力侵蚀发生的随机性较大,一般是定性研究多、定量研究少、定量预报研究更少。对重力侵蚀的研究正在从定性描述缓慢地迈向定量描述,并且已从土壤侵蚀、地貌、水利和工程等多个学科和不同角度开展了研究,但目前这方面的进展不大,这主要是因为目前还没有足够的观测和试验数据来支持,这是今后进一步工作的重点,在此基础上将理论模型与现场调查相结合,能使我们进一步认识重力侵蚀过程的本质。由于重力侵蚀在黄土高原地区总侵蚀量中所占比例较大,因此重力侵蚀机制和预报方法研究的滞后,严重制约着黄土高原地区土壤侵蚀预报的进展,大力加强这方面的研究是黄土高原地区工农业发展的迫切需要。

1.2.2　工程领域

对滑坡的研究目前主要在各类土木工程、地质工程及防灾减灾领域比较活跃,早在20世纪60年代,国内外都普遍意识到,减少滑坡灾害必须从宏观上进行控制,并与国土资源开发规划结合在一起考虑。

第二次世界大战以前,各国对滑坡的研究是零星的和片断的。在资本主义国家一般是由私人进行的,只有瑞典和挪威是由国立土工研究所进行的,也发表过一些著作和论文,不过今天看来意义不大。但值得注意的是,这些工作均是以长期观测为基础进行的,1953年在瑞士第三届国际土力学与基础工程会议上,几乎所有关于滑坡的报告均如此。如美国曾分别对两处滑坡观测22年和23年,瑞士对一个隧道滑坡观测50年,对某湖岸滑坡观测了55年(Емельянова Е.П.,1956),这段时间没有召开专门的国际滑坡会议,但前苏联曾于1934年和1946年召开过两次全国性滑坡会议(Емельянова Е.П.,1956)。

第二次世界大战后,随着各国经济建设的不断发展,遇到的滑坡逐渐增多,对滑坡的研究也就逐渐系统而深入了。美国、前苏联、日本、意大利、前捷克等从20世纪60、70年代开始就进行大区域滑坡灾害规律的研究。1950年美国学者Terzaghi K.发表了《滑坡机理(Mechanism)》的论文,系统地阐述了滑坡产生的原因、过程、稳定性评价方法和在某些工程中的表现等。1952年,澳大利亚—新西兰的区域性土力学会议上,所有报告几乎全与滑坡有关,即主要研究滑坡滑带土的强度特性(Емельянова Е.П.,1956)。1954年9月,在瑞典的斯德哥尔摩召开全欧第一届土力学会议,题目就是土坡稳定性问题,其中23篇报告中介绍了挪威、瑞典、英国等国家的滑坡。1958年美国公路局的滑坡委员会编写了《滑坡与工程实践》一书(Eckel E.B.,1958),是世界上第一部全面阐述滑坡防治的专著。1966年日本的高野秀夫发表了《滑坡及防治》一书,日本1964年3月正式成立滑坡学会,出版季刊《滑坡》,后又成立滑坡对策协议会,出版季刊《滑坡技术》。1964年前苏联召开全国滑坡会议,出版了论文集《滑坡文集》,介绍了前苏联高加索、黑海沿岸、克里米亚半岛和西伯利亚等地的滑坡。1968年在布拉格举行第23届国际地质大会期间,酝酿成立了国际工程地质协会,同时也成立了滑坡及其他块体运动委员会,由捷克人Pasek J.担任主席。这是目前世界上惟一的一个关于滑坡的国际性组织,委员会自成立以来,每年除向国际工程地质协会提交工作报告外,还向联合国教科文组织提交世界上灾害性滑坡的正规年度报告,以编入该组织的自然灾害的年度摘报中。自1975年起,该委员会与前捷克的国际工程地质协会之国家小组联合筹备举办了1977年9月在布拉格举行的滑坡及其他块体运动讨论会,这是世界上第一次举行这样大型的关于滑坡的国际性学术会议,中国地质学家代表团参加了这一会议,会议分四个专题讨论滑坡的有关问题。另外,国际土力学与基础工程学会,每届均有关于滑坡或斜坡稳定性问题的论文。国际岩石力学会议也都有岩石滑坡和斜坡稳定性的论文,仅1974年第三届大会就有这方面的论文18篇。

此外,20世纪70年代前后国外还发表了3本专著。1969年前捷克学者Zaruba Q.和Mencl V.著英文版《滑坡及其防治》,该书由铁道科学研究院西北研究所翻译,中国建筑工业出版社1974年出版。1971年日本人渡正亮和小桥澄治著日文版《滑坡与斜面崩

坏的实态和对策》(山田刚二等,1971),由铁道科学研究院西北研究所等单位组织翻译,
1983 年出版;1972 年苏联人 Емельянова Е.П. 著《滑坡过程的基本规律》,着重从地质角
度论述了滑坡的发育过程。Sassa K.(1984)提出了滑坡发生的液化机理;Anderson 和 Si-
tar(1995)基于土的应力路径试验结果提出其形成机制;Dai 等(1999)提出了浅层滑坡泥
石流形成的剪胀 - 压缩软化机理。许多学者也对滑坡稳定性进行了评价,Venanzio R.
Greco(1996)、John T. 等(1998)、Thomas E. Koler、Michael D Hylland 将概率理论应用于
边坡的稳定性评价。日本在物理模型试验方面具有较高的水平,他们的模型试验规模大、
仿真性强,更接近于真实情况。佐佐恭二建立了滑坡体运动微分方程;中村浩之将滑动土
体视为"不可压缩的牛顿黏滞流体",利用 Navier - Stokes 方程对滑坡土体作了三维动态
仿真模拟分析。国外学者着重于大区域滑坡灾害规律研究,近年来采用模拟试验、遥感和
GIS 技术对滑坡产生的原因、过程以及滑坡侵蚀发生的敏感性、滑坡侵蚀定量评价进行了
深入系统的研究,建立数学模型,并结合遥感及 GIS 资料分析,建立区域滑坡侵蚀定量评
价模型。从近年来的研究进展来看,通过试验模型和数值模型研究,揭示滑坡侵蚀动力机
制并进行侵蚀定量模拟是主流趋势(Hollingsworth R.G.S., 1981;Chandler J., Moore
R., 1989;Larsen.M.C. Parks J.E., 1993;Derbyshire E., Van Asch., 1995;VANWEST-
EB, Terlien M.T.J., 1996; Miller D.J., Sias J., 1998;Montgomery D.R., Sullivan K.,
Greenberg H.M., 1998)。

中国对滑坡的系统研究是新中国成立后才开始的。1951 年在西北铁路干线工程局
成立坍方流泥小组,1956 年成立坍方研究站,1959 年成立坍方科学技术研究所——西北
研究所滑坡研究室的前身。中国首先是在西部铁路建设中对滑坡发育规律予以重视。20
世纪 60 年代中后期,铁道部门在成昆、贵昆等线路建设中,吸取了宝兰、宝成等铁路的教
训,在选线中注意避开了滑坡地段和大型古老滑坡体。1959、1961、1964、1973 年主持召
开了滑坡防治经验交流及科研协作会议,其中 1959 年和 1973 年两次实质上是全国性学
术交流会。1958 年出版宝成铁路技术总结《路基设计与坍方滑坡处理》(宝成铁路技术总
结委员会,1978)。1962 年出版铁路路基设计手册《滑坡地区路基设计》(铁道部第一设计
院,1962)。20 世纪 70 年代初,铁道部成立了"滑坡分布与分类"专题研究组,对全国铁路
滑坡进行普查,提出了"以滑体物质及其成因的分类方法",将滑坡分为黏性土、黄土、堆填
土、堆积土、破碎岩石和岩石滑坡六大类,然后根据主滑面和厚度作了进一步划分,这一分
类对于滑坡整治是较为合适的。1971 年西北研究所编写了《滑坡防治》(铁道科学研究院
西北研究所,1977)一书,经试用修改,1977 年由人民铁道出版社出版发行。1975 年对滑
坡与其他斜坡变形的区分、滑坡的分类和分布进行了研究、普查和登记(徐邦栋,1975)。
1978 年对某些课题进行了较系统的研究,并参加了国际滑坡学术交流(马骥,1978)。
1976 年出版了 1973 年滑坡会议论文集《滑坡文集》(第 1 集),1979 年出版了第 2 集,截至
2002 年共出版了 16 集(滑坡文集编委会,1976~2002),以交流我国各部门滑坡防治研究
的经验。2001 年,徐邦栋出版了一本滑坡方面的巨著《滑坡分析与防治》,总结了近年来
滑坡方面的新成就。

"六五"期间,原地质矿产部将"西南西北崩滑灾害地区斜坡稳定性研究"列为专题进
行了重点攻关。"七五"期间,三峡工程"地震地质"专题组对三峡库区沿岸的重点滑坡进

行了调查研究。"八五"期间,"岩质高边坡稳定及处理技术研究"被列为国家科技攻关重点。与此同时,西部各省区也开展了相应的滑坡灾害调查研究,这些研究成果集中反映在以下几方面:

(1)1991年原地质矿产部、成都水文地质工程地质中心编制,地质出版社出版1:5 000 000《中国地质灾害类型图》,其中对滑坡按体积进行了分类,圈定了以滑坡崩塌为主的地质灾害区。

(2)1991年由地质出版社出版了《中国地质灾害与防治》图册,其中对我国重点工程区和主要江河,如川藏公路、成昆铁路、宝成铁路、金沙江下游、长江三峡等沿线的滑坡分布情况、发育规律和典型滑坡以图文形式展示。

(3)1992年由原地质矿产部环境地质研究所编,中国地图出版社出版了1:6 000 000《中国环境地质图系》,其中包括《中国滑坡崩塌类型及分布图》,该图对全国范围内的滑坡、崩塌分别按规模、物质组成和诱发因素、发生时间进行了分类,并按地域进行了区划。

(4)1995年由陕西省滑坡工作办公室编辑,西安地图出版社出版了1:750 000《陕西省滑坡分布图》和《陕西省滑坡灾害预测图》。前者圈定了陕西省境内的滑坡分布点,并按物质组成和规模进行了分类,后者按灾害严重区、重度区、次重区、轻度区、轻微区及无灾区6级进行了区划。该区划图对经济规划与布局具有指导意义。

(5)建筑、水电、铁路与公路各部门相应的规范中都提出了边坡分类方案,并用于工程实践中。

综上研究成果,我国对滑坡的研究具有以下特点:①我国对已发生的,特别是位于工程建设区的滑坡灾害分布情况,都作了详尽调查,拥有丰富的资料。②由于滑坡分布广、数量多,规模和工程重要性不同,研究程度有差异。铁路与公路部门在选线阶段则尽量避绕,运营阶段及时发现、及时治理,治理投入大。水电和城建部门则在前期勘察阶段投入较多,对滑坡研究程度高,治理方案选择较为科学。③近20年来,我国对区域滑坡发育规律的研究从全国范围到特定地区、特定工程区都有代表性成果。但这些成果主要反映在滑坡分布规律上,成因机制的研究还不平衡,仅三峡库区研究程度较高,其他地区较少或没有。目前,主要是对已发生的滑坡和已发现的潜在滑坡进行了调查研究。对这些丰富的资料尚缺乏系统的分类和统计分析,对力学机制、形成机理研究较少,未能发挥其对以后水土保持、工程建设的指导作用。

§1.3 技术路线

本书技术路线如图1-5所示。

1.3.1 理论研究

对滑坡侵蚀的理论研究主要包括以下几个方面:

(1)滑坡侵蚀的定义、形态要素、类型、分类,其他重力侵蚀的类型、定义,不同重力侵蚀的区别,滑坡侵蚀灾害链,滑坡侵蚀形成条件,促滑因素等。

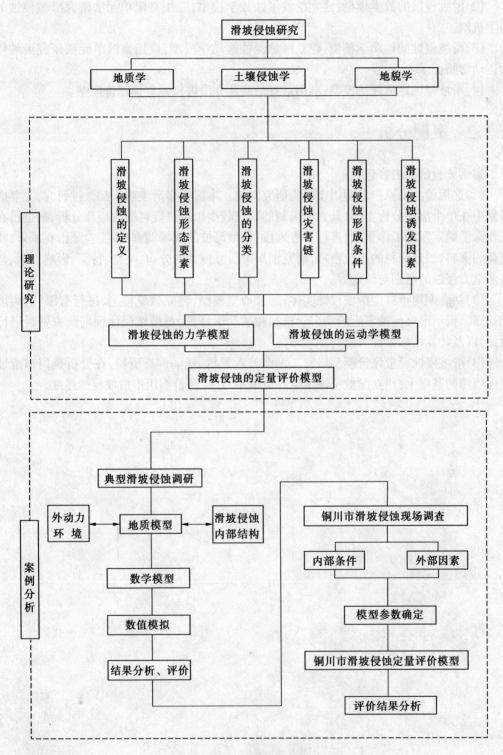

图 1-5 技术路线框图

(2)滑坡侵蚀的数学模型:建立滑坡侵蚀数学模型,应用有限单元法研究滑坡侵蚀的力学机制。

(3)滑坡侵蚀的运动学模型:建立滑坡侵蚀运动学模型,应用离散单元法研究滑坡侵蚀运动学特征。

(4)滑坡侵蚀定量评价模型:利用信息量法建立滑坡侵蚀定量评价模型。

1.3.2　案例分析

案例分析研究内容包括:

(1)选用黄土高原中部铜川市作为研究对象。本区许多滑坡前人都做过研究,主要成果集中在单个滑坡分析上,对其力学机制的研究较少。通过资料的收集和分析,根据已有工作深度确定现场工作重点,进行重点地段、典型滑坡的现场调查,核实验证已有成果,补充新的资料,通过资料的系统整理,研究铜川市滑坡侵蚀的分布、类型、特征、影响因素、与其他重力侵蚀的区别与转化等。

(2)结合铜川市典型滑坡侵蚀实体,通过地质模型,建立数学模型,进行有限元、离散元计算。揭示滑坡侵蚀发生的动力学机制和运动学特征,与滑坡侵蚀现场调查资料进行对比,以及计算结果验证、检验。

(3)滑坡侵蚀定量评价模型研究。根据前人资料、现场调查资料,在分析铜川市滑坡侵蚀规律的基础上,建立滑坡侵蚀定量评价模型,定量评价铜川市滑坡侵蚀强度。

第 2 章　滑坡侵蚀的基本概念

§2.1　滑坡侵蚀的定义

目前,国内外学术界根据研究对象的不同、角度的不同,对滑坡的定义也不尽相同,对滑坡侵蚀的定义则至今还没有见到。

2.1.1　滑坡的定义

滑坡的研究已近百年,目前能找到的最早的滑坡定义是 1950 年由 Q·扎留巴和 V·门茨尔给出的,最近的定义由徐邦栋在 2001 年给出。各研究者对滑坡的定义不尽相同,目前达到共识的不多,现将主要代表观点列举如下。

Q·扎留巴和 V·门茨尔(1950)认为:由一个明显的分界面与斜坡下伏的固定部分分开的滑动岩层的迅速移动,在较严密的意义上称为滑坡(铁道部科学研究院西北研究所,1976)。

铁道部科学研究院西北研究所(1976)给出了比较严谨的定义,对斜坡变形现象作了较细的划分,仅把斜坡岩体"沿一定的软弱面或带"作"整体移动"者称为"滑坡"。斜坡岩土在重力作用下,一般由于改变了坡内一定部位的软弱带(或面)的应力状态,或因水和其他作用破坏了该带岩土的结构,使部分岩土失去稳定而沿该带作整体和长期地向下滑动的现象称为滑坡。

山田刚二等(1980)认为:滑坡是以岩性、地质构造、地形和风化状态等为内因,以降雨、融雪等气象条件和挖方填土引起的应力变化等为外因而综合生成的极复杂的现象。

胡广韬等(1984)认为:斜坡岩土体沿着连续贯通的破坏面向下滑动的过程与现象称为滑坡。

E·Π·叶米里扬诺娃(1986)认为:滑坡是指组成斜坡(有时为它的基底、坡脚和上缘以外地区)的一部分岩石以滑动的方式向较低水准面的位移,其动体和不动体之间的接触基本上不脱离。

Cruden D. M.、国际地质科学联合会滑坡工作组(1991)认为:滑坡是大量的岩石、土或岩屑顺斜坡而下的运动(刘传正,2000)。

《工程地质手册》编写委员会(1992)认为:斜坡在一定自然条件下,部分岩(土)体在重力作用下,沿着一定的软弱面(带),缓慢地、整体地向下移动称为滑坡。

徐邦栋(2001)认为:斜坡上岩土在重力作用为主下,由于种种原因改变坡体内一定部位的软弱带(或面)中的应力状态,或因水和其他物理、化学作用降低其强度,以及因震动或其他作用破坏其结构,该带在应力大于强度下产生剪切破坏,带以上的岩土失稳而作整体或几大块沿之向下和向前滑动的现象称为滑坡。

2.1.2　滑坡侵蚀定义

所谓定义就是对一个大的事物(或概念)加一些形容词使人看了以便能将它与其他事物加以明确区别。其所以不加过多的形容词是因为加了这些形容词以后反而会产生一些矛盾，例如在对滑坡的定义中，用"整体的"滑动就包括不了有时分成许多块的滑坡，"缓慢的"就包括不了高速的滑坡，"某些自然因素影响下"就包括不了在人为因素影响下所产生的滑坡。另外，由于看问题的角度不同，同一事物就有不同的看法，同样是滑坡，地质学家说它是一种表示动力地质作用、物理地质自然现象；灾害学家说它是给社会和经济建设造成一定损失的斜坡变形破坏事件，是一种常见的山地地质灾害；铁道部门希望铁路的安全运营，则将滑坡称为坡体运动现象、以水平位移为主的变形现象，指边坡或山坡各种破坏的统称等。

地学界应用侵蚀一词已经有很悠久的历史，水成论的代表塞利兹(Thales)生活于公元前636~前546年，当初侵蚀被用来表达外营力的夷平地质作用，土壤侵蚀(Soil Erosion)引入水土保持界是在柯兹缅柯(Kozmenko A.S.，1909)的著作中，其后各国广泛采用，20世纪20年代末30年代初传入我国，一直沿用至今，其定义目前比较趋于一致，近年来有代表性的观点主要有以下几方面：

(1)《中国大百科全书·水利卷》对土壤侵蚀的定义为：土壤及其母质在水力、风力、冻融、重力等外营力作用下，被破坏、剥蚀、搬运和沉积的过程。

(2)关君蔚(1996)认为，土壤侵蚀是指在陆地表面，水力、风、冻融和重力等外力作用下，土壤、土壤母质及其他地面组成物质被破坏、剥蚀、转运和沉积的全部过程。

(3)刘秉正、吴发启(1997)对土壤侵蚀的定义为：土壤侵蚀是土壤及其母质和其他地面组成物质在水力、风力、冻融及重力等外营力作用下的破坏、剥蚀、搬运和沉积过程。

比较上述三者的定义可以看到，后两者的定义并无本质的区别，只有前者的作用对象中比后两者少了其他地面组成物质，当然这就有一定局限性了。

分析土壤侵蚀的定义，可以知道土壤侵蚀必须有一个作用力，这个力作用于被作用对象，使被作用对象发生破坏、运移、沉积，这样一来，土壤侵蚀一词的含义比地质上侵蚀一词的含义广泛得多，地质上仅指水流对坡面、河床等的破坏作用。通过研究，本文认为应该给土壤侵蚀一个更简单一些的定义：土壤侵蚀是岩土体在内外营力作用下的破坏、搬运和沉积过程。

滑坡侵蚀应包含三重含义：首先，滑坡本身即是一种重力侵蚀现象，滑坡既是应力的来源，又是被作用对象，其在运动过程中本身也遭到破坏；另一方面，滑坡侵蚀体滑动过程中发育有其他侵蚀体，如高速运动、远距离搬运的滑坡侵蚀体其前部为泥流，中部为土流、砂石流，后部为基岩或土体，为多个侵蚀体的复合体。其次，多次滑动的滑坡侵蚀体再滑动时，滑坡侵蚀体既是母质体，又是侵蚀体。最后，滑坡侵蚀体作为一种松散堆积体，为各类侵蚀(水力、重力、人力等)提供物质来源，即母质，如滑坡侵蚀体转化为泥石流和土流等。

根据上述观点,本书认为滑坡侵蚀的定义应为:坡体上部分岩土体在重力作用下沿着一定的破裂面发生破坏,并向下向前滑动,在不远处堆积的过程。这样定义的滑坡侵蚀是重力侵蚀的一种,重力侵蚀包括崩塌侵蚀、滑坡侵蚀、滑塌侵蚀、溜坍侵蚀、泥石流侵蚀等五种,而滑坡则是指滑坡这个具体的事物。

§2.2　滑坡侵蚀的形态要素

据滑坡侵蚀的定义,本书认为滑坡侵蚀形态要素应包括 24 项,其中滑坡侵蚀形态特征 17 项、滑坡侵蚀空间尺寸 7 项(图 2-1)。

根据图 2-1 来定义滑坡侵蚀特征形态要素和滑坡侵蚀空间尺寸要素,下面将这些滑坡侵蚀形态要素名词一一列出并简单解释,便于对比和交流。

(1)滑坡侵蚀后台:滑坡侵蚀后壁(见图 2-1 中②部分,以下简写数字)最高处未发生变位的岩土体平台。

(2)滑坡侵蚀后壁:滑坡侵蚀上部由于滑移物质脱离而形成的一个陡面。它是破裂面⑩的可见部分。

(3)滑坡侵蚀顶:滑坡侵蚀体⑬与滑坡侵蚀后壁②接触界线的最高点。

(4)滑坡侵蚀头:滑坡侵蚀体⑬上部滑体与滑坡侵蚀后壁②相接触的部位。

(5)滑坡侵蚀台坎:由于滑坡侵蚀体内的差异运动而形成的滑坡侵蚀体表面上的陡坎,这种陡坎经常是多个。

(6)主滑坡侵蚀体:滑坡侵蚀体后部,滑坡侵蚀体未脱离破裂面⑩的部分。

(7)滑坡侵蚀脚:滑坡侵蚀体滑越破裂面前沿⑪后覆盖于原始地面⑮之上的滑坡侵蚀体前部。

(8)滑坡侵蚀趾:滑坡侵蚀体⑬前部距滑坡侵蚀顶③最远的点。

(9)滑坡侵蚀前沿:滑坡侵蚀趾⑧前部的原始地面。

(10)破裂面:原始地面⑮以下的、构成滑坡侵蚀体⑬下部边界的面。

(11)破裂面前沿:破裂面⑩前部与原始地面⑮的交线。

(12)滑坡侵蚀覆盖面:原始地面⑮被滑坡侵蚀脚⑦所覆盖的部分。

(13)滑坡侵蚀体:由于滑坡侵蚀而从斜坡上移动了的岩土体,包括主滑坡侵蚀体⑥和滑坡侵蚀脚⑦。

(14)滑坡侵蚀两翼:破裂面两侧未发生位移的岩土体。

(15)原始地面:滑坡侵蚀发生之前的斜坡地面。

(16)滑坡侵蚀床:滑坡侵蚀移动时的底面以下未移动部分,包括破裂面⑩和滑坡侵蚀覆盖面⑫以下。

(17)滑坡侵蚀边(周)界:包括滑坡侵蚀后壁②、滑坡侵蚀两翼⑭、滑坡侵蚀前沿⑨形成的包络曲线。

(18)滑坡侵蚀体宽度(W_d):垂直于滑坡侵蚀体长度 L_d 的滑坡侵蚀体最大宽度。

(19)破裂面宽度(W_r):垂直于破裂面长度 L_r 的滑坡侵蚀两翼之间的破裂面最大宽度。

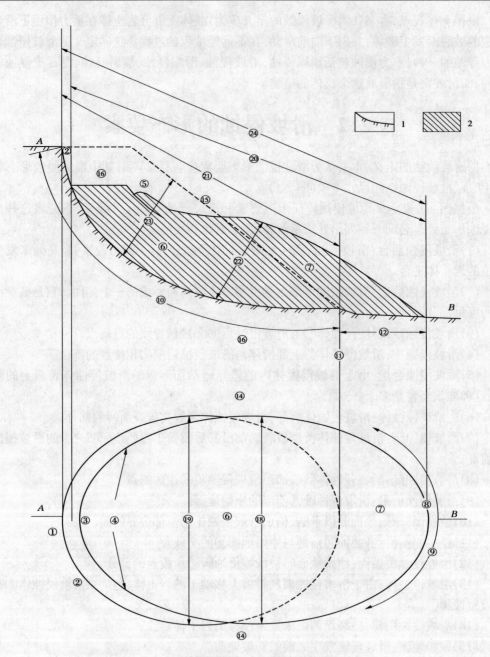

1—滑坡侵蚀床(⑯);2—滑坡侵蚀体(⑬)

①滑坡侵蚀后台;②滑坡侵蚀后壁;③滑坡侵蚀顶;④滑坡侵蚀头;⑤滑坡侵蚀台坎;
⑥主滑坡侵蚀体;⑦滑坡侵蚀脚;⑧滑坡侵蚀趾;⑨滑坡侵蚀前沿;⑩破裂面;⑪破裂面前沿;
⑫滑坡侵蚀覆盖面;⑬滑坡侵蚀体(⑥+⑦);⑭滑坡侵蚀两翼;⑮原始地面;
⑯滑坡侵蚀床;⑰滑坡侵蚀边(周)界(②+⑭+⑨);⑱滑坡侵蚀体宽度(W_d);⑲破裂面宽度(W_r);
⑳滑坡侵蚀体长度(L_d);㉑破裂面长度(L_r);㉒滑坡侵蚀体厚度(D_d);㉓破裂面深度(D_r);㉔总长度(L)

图 2-1　滑坡侵蚀形态要素图

注:下半部分是平面图,上半部分是剖面图,下面的 A、B 及其以下横线表示上面图形在下面的切面
　　位置。

(20)滑坡侵蚀体长度(L_d):滑坡侵蚀趾⑧距滑坡侵蚀顶③之间的最短距离。

(21)破裂面长度(L_r):破裂面前沿⑪至滑坡侵蚀后壁②最高点之间的最短距离。

(22)滑坡侵蚀体厚度(D_d):滑坡侵蚀体的最大厚度,是垂直于包含 W_d 与 L_d 的平面长度。

(23)破裂面深度(D_r):破裂面在原始地面以下的最大深度,是垂直于包含 W_r 与 L_r 平面的长度。

(24)总长度(L):滑坡侵蚀趾⑧至滑坡侵蚀后壁②最高点之间的最短距离。

在土壤侵蚀的研究与应用中,我们最终关心的是土壤侵蚀量、土壤流失量,所谓土壤侵蚀量是指土壤侵蚀作用的数量结果。通常把土壤、母质即地表松散物质在外营力的破坏、剥蚀作用下产生分离和位移的物质量,称为土壤侵蚀量。土壤侵蚀物质以一定方式搬运并被输移出特定地段,这些被输移出的泥沙量称为土壤流失量(刘秉正、吴发启,1997)。

由于重力侵蚀与水力侵蚀的差别,本研究对滑坡侵蚀的侵蚀量作如下界定:潜在滑坡侵蚀量(A)是重力作用下滑坡在有滑动趋势前或在滑动面贯通后正在运动的滑坡侵蚀体的土体质量;滑坡侵蚀量(B)是重力作用下滑坡运动一定距离并堆积后,滑坡侵蚀体处于超稳状态时的土体质量。即

$$A = L_a \cdot W_a \cdot D_a \cdot \rho_a$$
$$B = L_b \cdot W_b \cdot D_b \cdot \rho_b$$

式中,L、W、D、ρ 分别是滑坡侵蚀体的长、宽、高、密度。A、B 的单位为质量单位。当滑动过程中的各种损失等忽略不计时,$A = B$。当然,具体计算时,要考虑体积的不规则、密度的分层等因素,这里只是提出一个基本概念。

滑坡侵蚀流失量本研究作如下界定:滑坡侵蚀流失量(C)是处于超稳状态的滑坡体在流水作用下被输移到沟谷中的土体质量。

第3章　滑坡侵蚀分类

　　滑坡侵蚀是重力侵蚀的一种类型。为了对滑坡侵蚀有一个整体的了解,本章首先对土壤侵蚀、重力侵蚀的分类进行讨论。

§3.1　土壤侵蚀分类

　　土壤侵蚀分类的标准和方法很多,如根据侵蚀现象的发展(Erosion Phenomena of Development)、侵蚀营力(Erosive Agents)、沉积物质(Sediments)、搬运强度(Intensity of Removal)、侵蚀残余物(Erosion Remains)、侵蚀土壤(Eroded Soil)、侵蚀土地(Eroded Land)等进行分类。

　　以前的土壤侵蚀分类没有重力侵蚀这样一个概念(Kirkby M. J.、Morgan R. P. C.,1980;Н. И. 马卡维耶夫、P. C.恰洛夫,1984;Lal R.,1988),直到1982年,扎卡耳(Zachar D.,1982)提出了一个很有名的土壤侵蚀分类,他广泛收集了世界各国分类依据和标准,并加以研究,提出依据侵蚀营力因子的分类标准(表3-1),但还是没有提到重力这个外营力,只是提到了泥石流这个土壤侵蚀类型。

表 3-1　　　　　　　　　　　扎卡耳(Zacher D.,1982)的土壤侵蚀分类

外营力种类	土壤侵蚀类型	外营力种类	土壤侵蚀类型
1.水	水蚀	3.雪	降雪侵蚀
1.1 降雨	降雨侵蚀	4.风	风蚀
1.2 河流	河流侵蚀	5.土、岩屑	泥石流侵蚀
1.3 山洪	山洪侵蚀	6.生物	生物侵蚀
1.4 湖泊、水库	湖泊侵蚀、水库侵蚀	6.1 植物	植物侵蚀
1.5 海洋	海洋侵蚀	6.2 动物	动物侵蚀
2.冰川	冰川侵蚀	6.3 人	人为侵蚀

　　我国的水土流失面积之大,范围之广,世界罕见,全国各地的具体条件差异很大,水土流失的形式更是复杂多样,而且还需将水的损失也包括在内。另外,尤其黄土高原地区,坡陡沟深,重力侵蚀十分严重,其在流域产沙中所占的比例很大,必须加以考虑。于是以主要侵蚀营力和典型的水土流失形式相结合作为分类基础的分类表便诞生了(表3-2)(关君蔚,1996),而刘秉正、吴发启(1997)给出了我国的另一种土壤侵蚀分类(表3-3),这两种分类均给出了重力侵蚀。另外,我们还可以见到一种黄土高原地区土壤侵蚀类型表(表3-4)(孟庆枚,1996)。

表 3-2　　　　　　　　　　　　我国水土流失分类(关君蔚,1996)

类　别		主要营力		形　式
水土流失	水的损失	蒸发蒸腾水分损失		旱风
		径流损失		坡地干旱
		土地水分亏缺		土体渗漏损失
				垂直侵蚀等
	土体的损失	土壤营养物质损失		土壤养分流失等
		水力侵蚀	溅蚀	土壤结构破坏等
			面蚀	片蚀
				细沟侵蚀
				鳞片状面蚀
				砂砾化面蚀等
			沟蚀	原生沟蚀
				次生沟蚀等
			山洪侵蚀	冲沟
				沙压
				冷浸田等
		重力侵蚀		坠石
				坐塌
				山崩
				崩岗
				滑坡
				地匍行
				堰塞侵蚀等
		温度胀缩侵蚀		泻溜
				冻融侵蚀等
		重力水力混合侵蚀		泥流
				石洪
				水石流等
		风力侵蚀		风害
				风蚀
				沙割
				黄霾
				积沙等

　　工程界的广义滑坡分类相当于土壤侵蚀界的重力侵蚀范畴,这些分类很多(哈钦孙,1969;Емельяноа Е.П.,1972;Varnes D.J.,1998 等),达到共识的不多,因此不再一一列举,只将联合国科教文组织世界滑坡目录工作组(The International Geotechnical Societies' UNESCO Working Party on World Landslide Inventory,1990)提出的滑坡类型(图 3-1)共5 项(张倬元、董孝璧、刘汉超,1993)列出:崩塌(Fall)、倾倒(Topple,相当于我们所说的滑塌)、滑动(Slide,即我们通常意义上的滑坡)、扩离(Spread,相当于我们所说的错落)、流动(Flow,相当于我们所说的泥石流),这实际上相当于土壤侵蚀领域中的重力侵蚀分类,本

表3-3		我国土壤侵蚀分类(刘秉正、吴发启,1997)	
类型	侵蚀类(Ⅰ)	侵蚀类型(Ⅱ)	侵蚀型(Ⅲ)
正常侵蚀			
加速侵蚀	水力侵蚀	击溅侵蚀(溅蚀)	
		面状侵蚀(面蚀)	层状面蚀
			鳞片状面蚀
			细沟状面蚀
			砂砾化面蚀
		沟状侵蚀(沟蚀)	浅沟侵蚀
			切沟侵蚀
			冲沟侵蚀
		山洪侵蚀	
	重力侵蚀	陷穴、泻溜、崩塌、滑坡	
	冻融侵蚀		
	冰川侵蚀		
	混合侵蚀	泥流、石流、泥石流	
	风力侵蚀		
	植物侵蚀		

章将这些定义一一给出,以便于统一规格,利于交流,图3-1描述了这5种滑坡类型。

(1)崩塌(Fall,Eboulement):始于陡坡上的部分岩土沿一极小或无剪切位移的面脱离,随之脱离体主要通过坠落、跳跃和滚动等方式在空中下降。

(2)倾倒(Topple,Basculement):是土体或岩体围绕其重心下方的某一点或轴发生向前、向斜坡外的转动。

(3)滑动(Slide,Glissement):是土体或岩体主要沿着破坏面或较薄的强烈剪切应变带发生的向坡下的运动。

(4)扩离(Spread,Etalement):是黏结性土体或岩体伴随破裂块体普遍沉陷入下伏较软岩土而发生的扩展。其破坏面不是一个强烈剪切面。扩离可能由较软岩土的液化或流动(挤出)引起。

(5)流动(Flow,Ecoulement):是一种空间上的连续运动,在流动中,排列紧密的剪切面存在时间短,且常不保存下来,滑移体内的速度分布类似于黏滞流体。

根据前述,本章首先给出重力侵蚀的定义,以便于进行分类。重力侵蚀是指斜坡上的岩土体在重力作用下发生变形、破坏、移动和在不远处堆积的一种土壤侵蚀现象。重力侵蚀与水力侵蚀最大不同点是:水力侵蚀中,水作为营力,被作用对象是岩土体;重力侵蚀中,岩土体既是营力的来源,又是被作用对象。参考这些前人的分类方法,以主要侵蚀营

表 3-4　　　　　　　　　　黄土高原地区土壤侵蚀类型(孟庆枚,1996)

侵蚀动力	侵蚀类型	侵蚀方式	侵蚀形态	侵蚀特点
自然动力	水力侵蚀	面状侵蚀	溅蚀坑、鳞片状斑痕、细沟(或纹沟)	雨滴击溅和片状水流侵蚀,地表不保留永久性侵蚀形态,仅造成土粒位移
		线状(沟状)侵蚀	浅沟(或条沟)切沟、悬沟冲沟	受股流和暴流作用,有固定汇流空间和侵蚀形态,已将地面分割破碎
		洞穴侵蚀(潜蚀)	陷穴、盲沟、穿洞、碟形洼地等	地表径流沿黄土缝穴渗入地下,进行冲刷或淘蚀,地面塌陷为洞穴
		流泥	流泥坡、流泥槽和流泥扇	水力侵蚀和重力侵蚀共同作用的结果
	重力侵蚀	滑坡和滑塌 崩塌 泻溜和剥落	重力侵蚀活动面和堆积物	坡地土(岩)体呈块状向下坡移动和停积
	风力侵蚀	吹蚀 磨蚀 蠕移	吹蚀条痕、吹蚀穴、吹蚀残丘(土墩)、磨蚀面、沙丘移动	强风在干燥裸露地面上吹作用的结果
	冻融侵蚀	胀裂和收缩	冻裂隙、蠕移土流	土体和缝穴含水量较高时结冻和解冻作用
	动物侵蚀	挖掘	洞穴、土堆和塌陷	啮齿类动物的挖掘作用
人为动力	人力侵蚀	直接的	挖掘和运移形成的坑、洞、穴、沟、堆积体	随人口数量和生产力发展水平以及人们的环境保护意识高低而变化
		间接的	破坏植被、松动表土(岩)等	

力作为类(Ⅰ),作用机制大致相同的典型土壤侵蚀类型(Ⅱ)作为第二级,具体表现形式或侵蚀方法作为型(Ⅲ),根据本书的研究,提出了新的土壤侵蚀分类标准,如表 3-5 所示。

表 3-5 中对于水力侵蚀、风力侵蚀、人力侵蚀,因为不是本研究的重点,所以只列出了类,没有列出类型与型。

表 3-5 中泥石流归属的理论依据是营力,因为泥石流发生的根本原因或者主要营力是重力,泥石流不遵循流体力学的基本规律及基本定律,这是与高泥沙洪水的根本区别,所以,高泥沙洪水应该归属于水流侵蚀,泥石流应该归属于重力侵蚀。在泥石流侵蚀初期,水是一种触发因素,在泥石流运动中,水并不是一种载体,甚至是一种被载体,和其他固体物质一块,既是侵蚀营力的来源,又是侵蚀营力的作用对象。

表 3-5 中关于撒落与剥落的归属是作用机制,撒落与剥落的作用机制是崩塌,不过其下落滚动的岩土块碎小而区别于山崩与塌岸等,不能作为类型只能作为型而归属于崩塌类型。塌陷侵蚀与此类似。

人力侵蚀的概念也有必要辨析。首先,在人力侵蚀中人力是一种外营力,不论自然力、人力都统一按外营力考虑。其次,是人类活动在土壤侵蚀中的作用有两方面:一方面是人力侵蚀,人力作为一种外营力作用于岩土体使其发生破坏、运移、堆积,如矿山开采中

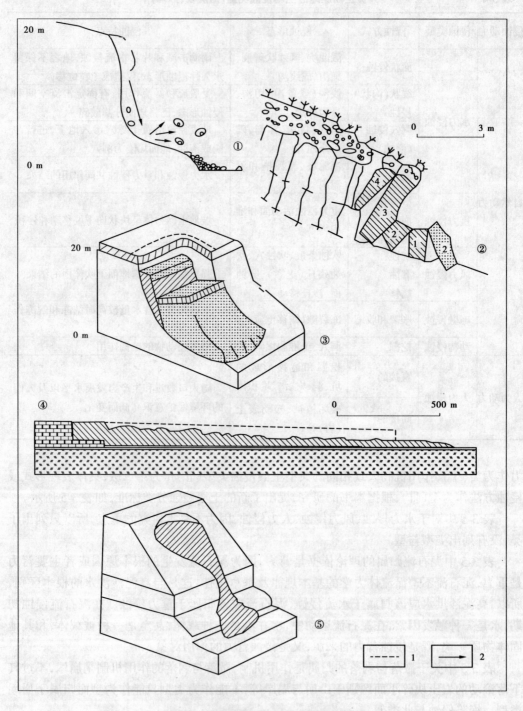

1.原地面;2.箭头指示滑移体的单个块体的运动轨迹
①崩塌;②倾倒;③滑动;④扩离;⑤流动

图 3-1　滑坡类型(张倬元等,1996)

的弃土、弃渣等;另一方面人类作用是一种影响侵蚀的因素,如人类对坡脚的破坏导致的滑坡,这时,人类作用与大气降水、地下水、地震等都是影响滑坡形成的因素,而不是人力侵蚀。

表3-5　　　　　　　　　　　　　　　中国土壤侵蚀分类

侵蚀类(Ⅰ)	侵蚀类型(Ⅱ)	侵蚀型(Ⅲ)
水力侵蚀		
风力侵蚀		
人力侵蚀		
重力侵蚀	崩塌侵蚀	雪崩侵蚀
		山崩侵蚀
		崩落侵蚀
		塌岸侵蚀
		崩岗侵蚀
		坠石侵蚀
		塌陷侵蚀
		剥落侵蚀
		撒落(泻溜)侵蚀
	滑塌侵蚀	错落侵蚀
		倾倒侵蚀
		扩离侵蚀
	滑坡侵蚀	挤出性滑坡侵蚀
		抛射性滑坡侵蚀
		顺层滑坡侵蚀
		切层滑坡侵蚀
		流动性滑波侵蚀
		坐落或陷落性滑坡侵蚀
		潜蚀滑坡侵蚀
		浮力滑坡侵蚀
		地震液化滑坡侵蚀
	溜坍侵蚀	蠕滑(地匍行)侵蚀
		散滑(山剥皮)侵蚀
		冻融蠕滑侵蚀
		冻融泥流侵蚀
	泥石流侵蚀	石洪侵蚀
		泥流侵蚀
		水石流侵蚀

§3.2　滑坡侵蚀分类

目前,土壤侵蚀领域的滑坡侵蚀研究才刚刚起步,但工程界滑坡的分类种类繁多,极不统一,对滑坡的特征描述也千差万别。这是由于世界各国的气候条件、地域范围、工程地质条件、工程对象、研究者的目的等不同,再加上对滑坡的含义又有广义的和狭义的区分而造成的。

最早的滑坡分类有前苏联阿·帕·巴甫洛夫(1903)的牵引式、推动式、混合式滑坡;Ф.Π. 萨瓦连斯其(1935)的均质、顺层和切层滑坡及按深度分为表层的、浅层的、深层的和极深层的滑坡;H.B. 波波夫(1951)的区域分类法;格·斯·佐洛塔列夫(1964,1970)的成因分类法;叶米里扬诺娃(Емельяноа Е.Π.,1972)的分类法等。世界其他国家分类的方法也很多,其中较为有名的是 Terzaghi K.(1929),Sharpe C.F.S.(1938),Hutchinson J.N.(1968,1984)和 Varnes D.J.(1978)等。到目前为止,虽然世界上有上述几种相当有名的分类方法,但能够得到大家公认的分类还不存在,故多数情况下,一个国家或某一地区根据其工程地质条件和经常遇到的情况,然后确定出适合于该地区的分类。

滑坡侵蚀必须有自己的分类,中国是滑坡侵蚀严重的国家之一,滑坡侵蚀类型复杂多样,本书通过对滑坡侵蚀的现场调查和研究,在分析国内外滑坡分类的优缺点,结合土壤侵蚀的特点后提出滑坡侵蚀的分类方案。本书认为滑坡侵蚀的分类按滑坡侵蚀体物质组成、滑坡侵蚀方式、滑坡侵蚀规模、滑坡侵蚀成因等几个主要指标进行综合分类是适宜的。这不仅便于认识滑坡侵蚀,而且于滑坡侵蚀的防治也是有利的。

本书以滑坡侵蚀规模为第一级分类,以滑坡侵蚀体物质组成为第二级分类,以滑坡侵蚀作用方式为第三级分类,第四级按具体滑坡侵蚀的特点,在本章3.2.3节中提出了15种单因素标志进行分类。

3.2.1 滑坡侵蚀分类依据

滑坡侵蚀分类方案应以有利于防治滑坡侵蚀的工作为目的,为能尽量减少滑坡侵蚀量而制定。因此,要有一个符合中国实际地理情况的分类,结合滑坡侵蚀防治经验进行;为便于推广使用,分类应简单易掌握,但必须反映滑坡侵蚀的科学规律。经本书分析研究认为,对滑坡侵蚀从滑坡侵蚀规模、滑坡侵蚀体物质组成、滑坡侵蚀作用方式、滑坡侵蚀的特点4方面分类就可以满足要求(表3-6)。

表3-6   滑坡侵蚀分类

第一级分类	第二级分类	第三级分类	第四级分类
按滑坡侵蚀规模分类	按滑坡侵蚀体物质组成分类	按滑坡侵蚀作用方式分类	按具体滑坡侵蚀的特点分类
小型滑坡侵蚀(<5万 t) 中型滑坡侵蚀(5万~50万 t) 大型滑坡侵蚀(50万~500万 t) 巨型滑坡侵蚀(>500万 t)	岩质滑坡侵蚀 土质滑坡侵蚀 黄土滑坡侵蚀 松散层滑坡侵蚀 岩土混合滑坡侵蚀	挤出性滑坡侵蚀 抛射性滑坡侵蚀 顺层滑坡侵蚀 切层滑坡侵蚀 流动性滑波侵蚀 坐落或陷落性滑坡侵蚀 潜蚀滑坡侵蚀 浮力滑坡侵蚀 地震液化滑坡侵蚀	按 3.2.3 节15种标志最突出者的几种联合分类命名

　　第一级按滑坡侵蚀规模分类:对于滑坡侵蚀而言,滑坡侵蚀规模的大小是滑坡侵蚀的基本特征,滑坡侵蚀规模的大小涉及危害程度、侵蚀量及防治原则、防治措施和水土保持工程造价等问题,可为滑坡侵蚀防治提供具体的决策依据。因此,选择滑坡侵蚀规模作为滑坡分类的依据,能满足这个要求。

　　第二级按滑坡侵蚀体物质组成分类:产生滑坡侵蚀的岩土类型各种各样,而岩土类型分布有一定的规律,其对于滑动的特点、难易、滑动时所需各种条件也不相同。产生滑坡侵蚀的岩土类型为计算侵蚀量而选取计算参数很重要,不同岩土类型滑坡侵蚀的防治方法亦不同。根据滑坡侵蚀体物质组成划分相应的滑坡侵蚀类型均有利于滑坡侵蚀预防和水土保持工程整治,也是十分必要的。

　　第三级按滑坡侵蚀作用方式分类:因为滑坡侵蚀作用方式的复杂性,具体滑坡侵蚀的作用方式是不同的。作用方式的不同决定了造成滑坡侵蚀形成后运动形式的不同,堆积体的形状、松散程度等都有明显的区别,按滑坡侵蚀作用方式分类的依据可以是研究者确定滑坡的性质、作用机理等。

　　第四级按滑坡侵蚀的特点分类:因为滑坡侵蚀的复杂性,具体滑坡侵蚀的特点不同,按具体滑坡侵蚀的特点分类时,按本章 3.2.3 节所阐述的滑坡 15 种标志,首先考虑滑坡侵蚀成因划分滑坡侵蚀,或者用最突出者的一种或几种联合命名,这样分类可以达到简单明了又突出重点的目的。

3.2.2　滑坡侵蚀分类表使用方法

　　(1)根据我国滑坡侵蚀的实践和滑坡侵蚀特点,我们最关心的是滑坡侵蚀规模,即滑坡侵蚀造成的侵蚀量,首先以侵蚀量确定滑坡侵蚀类型,是非常必要的。具体应用时,当能确定侵蚀量时,用单一名称,如小型、大型等;当不能确定侵蚀量时,用复合名称,如中小型、大中型等。

　　(2)滑坡侵蚀体物质组成是一种岩土类型时,命名比较简单,如黄土、岩质等;滑坡侵蚀体是两种及两种以上岩土类型时,以体积大小确定命名滑坡侵蚀类型的先后顺序,如滑坡侵蚀体上部为黄土、下部为岩质,当黄土体积大于岩质体积时,命名为黄土、岩质滑坡;当黄土体积远大于岩质体积时,直接命名为黄土滑坡。若滑坡侵蚀体几种岩土类型体积相当者,则以接近滑面的先后顺序确定滑坡侵蚀类型,如滑坡侵蚀体中有黄土、有岩质,当黄土体积与岩质体积基本相等,滑面附近是岩质时,命名为岩质、黄土滑坡。

　　(3)按滑坡侵蚀作用方式划分滑坡侵蚀类型时,以最明显的标志作为分类命名的依据。例如,当滑面与岩层层面一致时,命名为顺层滑坡侵蚀;当其几种特征不好区分时,可以用复合名称,例如,抛射性滑坡侵蚀与流动性滑坡侵蚀一般情况下很难区分,可以命名为抛射、流动性滑坡侵蚀。

　　(4)当确定了滑坡侵蚀规模、滑坡侵蚀体物质组成、滑坡侵蚀作用方式后,按本章 3.2.3 节所阐述的滑坡侵蚀 15 种标志,首先考虑滑坡侵蚀成因划分滑坡侵蚀,或者用最突出者的一种或几种联合命名,如高速、牵引旋转、顺层连续葫芦形等。

　　(5)一般分类命名顺序是按一、二、三、四级命名,如小型黄土顺层滑坡侵蚀、大中型岩质流动性滑坡侵蚀;但用地名命名时,地名放在最前头,如洒勒山巨型黄土抛射性高速土流滑坡侵蚀。

3.2.3　滑坡侵蚀第四级分类标志

滑坡侵蚀分类表(表3-6)的第四级分类按具体滑坡侵蚀的特点分类,本书提出具有代表性的15种标志参加滑坡侵蚀分类。这些标志为2类:一为成因,一为性质。

(1)按滑坡侵蚀成因划分滑坡侵蚀有3类:牵引式滑坡侵蚀,推动式滑坡侵蚀和混合式滑坡侵蚀。

(2)按滑坡侵蚀破裂面埋藏深度划分滑坡侵蚀有4类:表层(<1 m)滑坡侵蚀,浅层(1~5 m)滑坡侵蚀,深层(5~20 m)滑坡侵蚀和极深层(>20 m)滑坡侵蚀。

(3)按滑坡侵蚀体完整程度划分滑坡侵蚀有5类:分成一整块的滑坡侵蚀,含几个大块的滑坡侵蚀,塑体滑坡侵蚀,呈半液态体的滑坡侵蚀,散碎体滑坡侵蚀。

(4)按变动斜坡剖面的原因划分滑坡侵蚀有5类:坡脚遭河流侵蚀冲刷引起的滑坡侵蚀,坡脚遭海水磨蚀冲刷引起的滑坡侵蚀,因斜坡上堆积自上方塌下的土石而引起的滑坡侵蚀,开挖坡脚导致的滑坡侵蚀,坡面及坡顶堆方导致的滑坡侵蚀。

(5)按岩土变化划分(降低斜坡的稳定)滑坡侵蚀有4类:软塑化引起的滑坡侵蚀,潜蚀淋溶引起的滑坡侵蚀,风化剥蚀引起的滑坡侵蚀,冻层融化引起的滑坡侵蚀。

(6)按水的来源划分滑坡侵蚀有11类:大气降水渗透引起的滑坡侵蚀,浸湿坡脚的河、湖、海等地表水流作用促成的滑坡侵蚀,沿裂隙渗入潮解岩石的泉水作用下生成的滑坡侵蚀,上层滞水作用形成的滑坡侵蚀,含水层中的地下水作用生成的滑坡侵蚀,从斜坡上渗出的地下水浸湿下生成的滑坡侵蚀,汲水井和污水坑的水作用下生成的滑坡侵蚀,自来水管、排水沟、喷水池、配水栓等漏水促成的滑坡侵蚀,灌溉水作用下形成的滑坡侵蚀,各种试验场排除的污水作用下形成的滑坡侵蚀,斜坡上及其附近池塘中的水作用下形成的滑坡侵蚀。

(7)按滑坡侵蚀生成的年代划分滑坡侵蚀有6类:在滑动的滑坡侵蚀,暂时稳定的滑坡侵蚀,已稳定的滑坡侵蚀,暴露的滑坡侵蚀,埋藏的滑坡侵蚀,变动的滑坡侵蚀。

(8)按滑动发生时间划分滑坡侵蚀有5类:外貌新鲜的滑坡侵蚀,不久前发生的滑坡侵蚀,很久以前发生的滑坡侵蚀,老滑坡侵蚀,古滑坡侵蚀。

(9)按滑动特征划分滑坡侵蚀有3类:一次滑动的滑坡侵蚀,周期滑动的滑坡侵蚀,连续滑动的滑坡侵蚀。

(10)按滑动的形状划分滑坡侵蚀有3类:具弧形面的滑坡侵蚀,具折线形平直面的滑坡侵蚀和上段为平直面下段为弧形面的滑坡侵蚀。

(11)按地形演变过程划分滑坡侵蚀有4类:幼年期滑坡侵蚀,青年期滑坡侵蚀,壮年期滑坡侵蚀和老年期滑坡侵蚀。

(12)按滑动速度划分滑坡侵蚀有3类:缓速滑坡侵蚀,高速滑坡侵蚀和速滑滑坡侵蚀。

(13)按组成滑面的面数划分滑坡侵蚀有3类:单滑面型的滑坡侵蚀,双滑侵蚀和多滑面型滑坡侵蚀。

(14)按外貌形态划分滑坡侵蚀有 9 类:冰斗形(半圆形)滑坡侵蚀,正面形滑坡侵蚀,冰川形滑坡侵蚀(分单流的和多支的),缩口圆形滑坡侵蚀,带有土流和冲积锥的勺状滑坡侵蚀,椭圆形、梨形或水滴状的滑波侵蚀,角形滑坡侵蚀,无明显边界的滑坡侵蚀和由多个滑坡发展或合并而成的复杂而不规则形的滑坡侵蚀。

(15)按滑坡侵蚀出口部位划分滑坡侵蚀有 6 类:陆上滑坡侵蚀,水下滑坡侵蚀,水上、水下混合滑坡侵蚀,坡顶滑坡侵蚀,坡面滑坡侵蚀和坡脚滑坡侵蚀。

第 4 章　滑坡侵蚀灾害链

§4.1　滑坡侵蚀与其他重力侵蚀的区别

重力侵蚀包括多种类型,如滑坡、崩塌、滑塌、溜坍、泥石流 5 种侵蚀类型,这些侵蚀现象分别发生在斜坡的不同部位,并具有不同的规模。同时,这些侵蚀在形成原因、性质、特征、发展规律及防治措施方面有所相同也有所不同,常常容易造成混淆。本章首先给出除滑坡侵蚀外的其他重力侵蚀的定义与概念。

4.1.1　不同重力侵蚀类型的定义

由于研究对象的不同,各种重力侵蚀的定义也不尽相同。

4.1.1.1　崩塌侵蚀的定义

崩塌侵蚀指岩土体在重力作用下大部分破碎或下部岩土层承载能力低,重心偏外而断裂破坏并以突然的方式脱离母体,做急剧地倒塌、翻转和跳动,岩土块互相冲撞、下落,最终堆积于山体坡脚和沟谷而形成岩土堆的过程。

在高陡的边坡条件下,往往由于下部近坡面处的岩土先遭破坏,失去稳定,而使上部整个岩体悬空,导致崩塌侵蚀的发生。在高大而陡峻的坡体上,不论是由构造裂面(断层、节理、裂隙)发育或岩脉穿插成网的硬岩,或是黄土和岩堆与堆积体、半岩质岩层、巨厚的硬岩风化为破碎或软弱岩层等组成者,只要因下部先剥蚀塌空,或其出口为上大、下小的楔状体的楔尖先压碎破坏,上部岩土就会出现在失去承托和支撑下失稳的现象。

崩塌侵蚀按单次侵蚀发生时的规模从大到小包括雪崩侵蚀、山崩侵蚀、崩落侵蚀、塌岸侵蚀、崩岗侵蚀、塌陷侵蚀(图 4-1)、坠石侵蚀、剥落侵蚀、撒落(泻溜)侵蚀共 9 种侵蚀方式。

4.1.1.2　滑塌侵蚀的定义

滑塌侵蚀指斜坡岩土体的坡脚大于它的内摩擦角时,岩土体在重力作用下沿剪变带表现为以顺坡滑移、滚动与扩离方式的破坏、移动,重新达到稳定坡脚而堆积的过程。

滑塌又称为崩滑,它是滑坡与崩塌之间的过渡类型,是上部产生坍塌而下部发生滑动的现象。当斜坡岩土体的坡脚大于它的内摩擦角时,岩土体的表层就会产生蠕动,而蠕动的进一步发展,岩土体就会发生破坏、移动,重新达到新的平衡时,这种过程才能停止。

滑塌侵蚀根据失稳岩土体的运动方向包括错落侵蚀、倾倒侵蚀、扩离侵蚀 3 种侵蚀方式。倾倒是岩土体围绕其重心下方的某一点或轴发生向前、向斜坡外的转动。扩离是岩

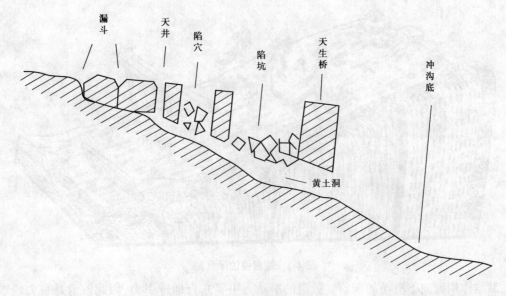

图 4-1 塌陷侵蚀示意图

土体伴随破裂块体普遍沉陷入下伏较软岩土而发生的扩展,其破坏面不是一个强烈剪切面,扩离可能由较软岩土的液化或流动(挤出)引起。错落是由于岩土体下卧层为向临空面缓倾斜的破碎带或软弱带,因临空面的发育或其他原因使破碎带的单位压力增大而压缩,产生以垂直移动为主的变形,上部岩土体沿后缘已有的高角度构造裂面下错而形成错落。

4.1.1.3 溜坍侵蚀的定义

溜坍侵蚀是在冰雪消融或多雨季节,斜坡局部岩土体的含水量达到或超过流限而不能维持其原有的坡度而破坏,在重力作用下产生向下的流动,并在不远处堆积的过程。

溜坍侵蚀在多雨的气候条件下和冰雪消融时边坡岩土体又是黏性土时更易发生,但整个坡是稳定的,局部岩土体的含水量偏高,于是这部分岩土体不能维持其原有的坡度而产生向下流动的现象,一般说来,这种变形的范围不大。

溜坍侵蚀包括蠕滑(地匍行)、散滑(山剥皮)、冻融蠕滑、冻融泥流侵蚀4种方式。

蠕滑侵蚀是地表松散堆积物或岩层长期缓慢地向坡下移动的过程。山坡坡面上堆积的土层,在重力作用下,总是会发生缓慢潜移,移动距离受多种因素控制,运动过程十分缓慢,以致短时间内无法察觉,但时间长了,斜坡上的各种物体就会发生变形,诸如电杆和篱笆的歪斜,土墙倾倒或树干弯曲成"马刀树"等。蠕滑侵蚀明显地具有两大特点:①运动速率极为缓慢,每年几毫米至几厘米;②移动体与不动体间不存在明显的滑动面,两者间的形变量和移动量是渐变过渡的。蠕滑的发生除物性等内在因素外,地下水起了润滑剂的作用,因而蠕滑主要发育于温湿气候区和寒湿气候区。蠕滑又被称为"地匍行"、"土爬"、"土溜"、"土流"等(图4-2)。

散滑侵蚀是指斜坡表面的草皮或松散覆盖层,在长时间降雨的作用下,因水的饱和失

图 4-2　蠕滑侵蚀示意图

去黏结作用而向下滑动的现象。散滑的滑动力主要来自地球引力,因此散滑是重力侵蚀的一种类型。散滑多发育在山坡低处或浅沟处,滑动面常呈带状或片状,滑动速度很快,滑切深度一般不超过2~3 m。散滑发生时,地面的树、草、石块犹如乘着颠簸的小船顺流而下。散滑发生后的地表像剥了一层皮,光秃秃的,故人们形象地称散滑为"地剥皮"、"山剥皮"。

冻融侵蚀的含义是指冰雪消融时上部土层消融而下部土层冻结而隔水,上部土层饱水时在重力作用下发生整个坡面向下滑落的现象。滑动缓慢者称冻融蠕滑,滑动剧烈者称冻融泥流。

4.1.1.4　泥石流侵蚀的定义

泥石流侵蚀指斜坡上大量积聚的泥沙、岩屑、石块等,受震动或暴雨、冰雪融水等激发,在重力作用下沿着斜坡、谷底流动,在地形开阔处堆积的过程。

泥石流侵蚀是由于降水、融雪等触发而发生在山区的一种挟带大量泥沙、石块等松散固体物质的特殊洪流,它是山区特有的一种自然灾害,其中泥沙粒径差异很大,是水土流失过程中介于洪水和滑坡之间的泥沙集中搬运的一种形态,破坏性极大。泥石流具有突发性和横冲直撞的特点,最典型的特征是爬高,一些特大型泥石流可以爬到20~30 m高,这和洪水有显著的区别。高泥沙洪水和泥石流的区别在于洪水可以用流体力学的基本方程来描述,而泥石流则不能,所以洪水属于水力侵蚀的范围,泥石流属于重力侵蚀的范围。

泥石流侵蚀根据其中固体物质的不同,分为石洪侵蚀、泥流侵蚀、水石流侵蚀等3种侵蚀方式。黄土高原地区的泥流有学者建议叫流泥,黄土高原的流泥有稀释性流泥(流体密度1.3~1.5 t/m^3)、黏性流泥(流体密度>1.5~1.6 t/m^3)和塑性流泥(流体接近土的塑限)3种,按流体的力学性质,含沙量大于600 kg/m^{3}的水流已具流泥特性,这在黄土高原是很常见的。

4.1.2　不同重力侵蚀类型的区别

重力侵蚀的 5 种类型之间是既有区别也有联系,本书根据以往的研究成果及前人的经验,用水的作用(大气降水、地表水、地下水)大小、依附面坡度大小、地表坡度陡缓、块体运动速度的快慢、移动块体的多少、受结构面控制的程度、运动时克服摩擦阻力的大小等 7 种影响因素及运动状态对不同重力侵蚀类型的区别作了比较,如图 4-3 所示。

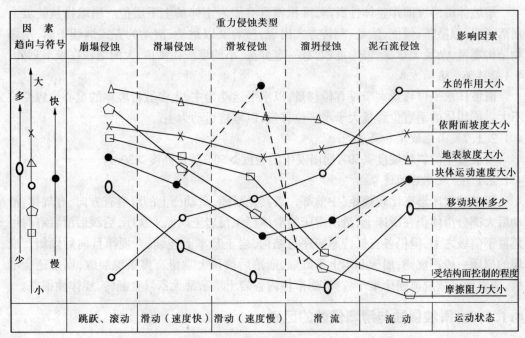

图 4-3　不同重力侵蚀类型区别图

4.1.2.1　滑坡侵蚀与崩塌侵蚀的区别

滑坡侵蚀与崩塌侵蚀的区别主要体现在以下多个方面。

4.1.2.1.1　变形原因

滑坡沿一定的软弱带滑动,由于这个带剪切力大于岩土体强度而沿软弱带滑动,崩塌是因坡体下部的岩土结构遭到破坏,上部岩土体失却支撑而断裂并急剧地倒塌和崩落而下。

4.1.2.1.2　变形形式

滑坡体滑动时仍保持一块或分为几大块,无倾倒、无翻转,多次滑动时大多数仍沿原滑面滑动。崩塌块体各自分离,同时翻转、倾倒、分散堆于坡脚下,崩塌发生一次就产生新的裂面。

4.1.2.1.3　裂缝

滑坡体上的纵横裂缝与变形存在一定的规律,各个部位裂隙力学性质明显。崩塌体上在崩塌未发生时裂缝形状不规则且紊乱成网,沿坡体上部裂缝延伸至坡体中下部的破碎处,并且出现不规则的碎裂现象。崩塌发生后,崩塌体主要界面受下部结构先遭破坏的岩石影响,在坡顶上出现的裂缝与松弛张开的现象常不规则,只是大体上有一走向范围,裂缝一般离坡顶较远,发育在崩塌体后缘。

4.1.2.1.4　与母体关系
滑坡体滑动时,移动部分与不动部分不脱离接触。崩塌体完全脱离母体而下落。

4.1.2.1.5　堆积结构
滑坡体沿滑坡面作整体性滑落,堆积物具有原岩土体的上下层位。崩塌物从陡坡上崩落下来,以坠落、倾倒、滚动、翻转方式出现,接着又以跳动、滚动的方式继续下落,崩塌物结构零乱,杂乱无章,呈锥形堆积,有一定分选,小的堆积在锥顶,大的堆积在堆下远处。

4.1.2.1.6　运动方式
滑坡体水平位移量大于垂直位移量,以水平运动为主,大多数滑坡体的重心位置变位不大。崩塌体的垂直位移量大于水平位移量,以垂直运动为主。

4.1.2.1.7　山地坡度和高度
滑坡发生的斜坡坡度<50°,崩塌发生的坡度>50°,陡坎高度>30m。

4.1.2.1.8　破坏后的迹象
滑坡的滑床形态比较规矩,中前部一般具光滑面,滑动面上的滑痕有方向、有规律,滑动后大部分滑体仍在滑床上,滑出滑床的滑体仍保留岩土间原来次序,后级后滑者有时可超覆于前级之上,但仍各自保持原顺序与结构,岩土基本上连续、有规律且向后倾斜。崩塌的崩床一般不规则,崩床基本上不圆顺,崩落后坡顶上常留有多条地裂缝,崩落还会继续,崩塌体多数脱离崩床堆于坡脚,崩落体内各岩土块杂乱无章且有翻转,规律性很差。

4.1.2.2　滑坡侵蚀与滑塌侵蚀的区别

滑坡侵蚀与滑塌侵蚀的区别主要体现在以下多个方面。

4.1.2.2.1　滑坡侵蚀与滑塌侵蚀在内部特征上的区别
滑坡侵蚀与滑塌侵蚀在内部特征上的区别有以下几点:

(1)滑坡滑体可由土层、软岩层、硬岩层组成,滑体的岩土结构密实完整,只有前缘与两侧岩土稍松散。滑塌的错体一般可以划分为两层,上部裂面发育、岩层破碎,且厚度巨大,下层厚度小,多由松散或软弱的岩土组成,前缘及两侧岩土比较完整。

(2)滑坡变形主滑带在中部,一般是地质上的软弱带,在均质岩土中常呈弧形,另外有平面或折面,滑面一般向外缓倾,坡度一般在20°~25°之间,前、后缘由一系列滑动面呈雁行排列,滑面以下有软层时,滑体前缘自基底下呈反坡挤出地表。滑塌的每次错落沿主错带下错后变形即终止,下错带一般是向外倾斜而陡立的大构造面,错带一般呈折线状,后壁错带在45°~70°之间,底部错带较缓,一般在15°~30°之间,出口一般高于坡脚,从无反坡现象发生,后壁错带长而底部错带短,沿多组平行裂面形成多级错落,底部错带仅有一层出口,无多层雁行出口。

(3)滑坡滑动带出口位置多数在坡脚临空面以上,均质土或下部为软层时,出口位置可深入临空面以下数米,此处滑面成反坡。滑塌错动面出口在坡脚临空面以上。

(4)滑坡的主滑带是含水层顶、底板者居多,滑带水水量变化是滑坡滑动的主要因素,前缘的抗滑段在未挤出前,地下水一般承压,出口挤出后水压降低。滑塌的底错带虽然潮湿而含水,但其对坡体滑动影响很小,变形发生的主要原因是垂直荷载的增加。

(5)滑坡主滑带以含黏土、粉土、粉砂、风化软泥居多,具持水性、吸水性、崩解性,遇水软化较快,强度迅速衰减,在主滑带内、上、下经常富集有地下水,可使滑带土呈饱水状态,主滑带多具一组与滑床平行的剪切裂隙、滑面和滑痕,抗滑段的滑带常在揉皱严重下含2~3组裂隙、滑面和滑痕。滑塌底部错动带常由风化岩土夹破碎石块、岩屑和岩粉组成,错动后具吸水性能;错动带具挤压性时含水量较少,岩石硬块常挤入软弱岩土中,含多组裂面,裂面上擦痕发育。

(6)滑坡由泥化夹层等发育生成的滑带通常较薄,沿层间错动带、断层带生成的滑带一般较厚,发育有原糜棱物、构造擦痕、镜面,另外,具贯通的舒缓起伏的齿状滑沟、滑痕、岩屑、糜棱物相挤压等现象,黏性土滑带有明显滑痕与光滑镜面,风化软岩土滑带一般具有鳞片状平行排列的岩屑存在,饱水状粉土、粉砂滑带滑痕一般很不清楚。滑塌在错动时下层以垂直压缩为主,水平移动很少,底部错带内无明显向外移动擦痕。

4.1.2.2.2　滑坡侵蚀与滑塌侵蚀的地貌区别

滑坡侵蚀与滑塌侵蚀的地貌区别有以下几点:

(1)滑坡由几大块组成,多呈块状,顺滑动方向的长度大于厚度,为厚度的好几倍,后壁形态上多呈圈椅状,具有多级台阶,前缘多外凸地形,滑动后坡度缓于 25°~30°。滑塌常为一块整体,裙状鼓包或半馒头形状,顺滑塌方向的长度与宽度相当,后壁比较完整,呈直线、折线形,形态上呈靠背椅状,一般仅有一个台阶,前缘比较完整,陡坡坡度在 35°~40°之间。

(2)滑坡内部岩土体无相对位移或相对位移轻微,但有挤压变形发生,后级滑舌经常超覆于前级滑坡体之上,表面岩土体有翻滚现象产生,滑坡的两侧与前缘一般有塌落现象。滑塌也为整体滑动,内部岩土体也没有或有极小的相对位移,但滑塌无后级超覆前级的现象,也见不到表层岩土体的翻滚以及两侧、前缘的塌落现象,只有坡面局部破坏发生。

(3)滑坡发生后地面不平整,起伏较大,从前缘到后缘逐次降低,后部常有洼地,洼地中有泉、沼泽、湿地等,前缘可见垄状隆起的残垣或鼓丘,呈波浪起伏。滑塌的顶脊一般较平整,具台坎并顺坡向下逐级降低,一般无起伏,后部及中部很少看到洼地,前缘从无隆起。

(4)滑坡出口一般低于滑面,滑坡前缘易隆起形成鼓丘及垄状残垣,可以见到向上翘起的多个小滑面、擦痕。滑塌的出口一般在临空面的基底以上,错落面向下倾斜,一般见不到擦痕、光面。

(5)滑坡以水平位移为主,中部主滑段是作用力来源,沿滑坡滑面滑动,剪切破坏,外貌如舌。滑塌则以垂直位移为主,后部是作用力的来源,在错动初期属压密破坏,顺后缘陡壁下错,外貌一般呈半馒头状,从移动方向的截面上观察,横长一般大丁厚度。

(6)滑坡在形成初期,土质滑体上裂缝受应力控制有规律的分布,岩石滑坡由于构造面的影响滑动面迁就原有的构造面,但还是有规律的分布,每级滑坡后缘总有一组以上的主裂缝组最先出现,贯通后多呈弧形,继续滑动使坡体上出现逐级牵引、两侧剪切、前缘放射状等裂缝。滑塌在大破坏前,错体内部裂缝受倾向临空而贯通的陡立卸荷节理、裂隙等大构造面控制,构造面较顺直呈直线或折线状,每级错体的后缘一般有完整大裂面,后缘错壁出现之时,错落变形已经完成,没有滑坡滑动时产生的剪切、隆起等裂缝。

(7)滑坡一般有多级台阶,方向基本一致,成弧形,并有新月形洼地,台阶的台面多向后缘倾斜。滑塌很少有几级错台,错台后缘一般平行成直线状或齿状,台面平或前倾。

(8)滑坡主滑段的滑带受剪切作用形成,所以滑带比较薄,且滑面光滑并平行于滑床,滑带以黏性土为主,水分含量比较高,呈软塑、塑流状态,中前部滑带水具承压性质。滑塌的错落带主要形成于受陡倾向的挤压作用,错落带一般较厚,有挤压揉皱现象,呈多组多面,错落带中破碎岩土以混杂的岩屑、岩粉为主,含水量小而潮湿,不承压。

4.1.2.2.3　滑坡侵蚀与滑塌侵蚀在力学特点上的区别

滑坡侵蚀多由于主滑部分出现推力挤压和剪切形成。滑塌侵蚀则起因于上部作用于下部的压应力。

4.1.2.2.4　滑坡侵蚀与滑塌侵蚀在变形过程上的区别

1)典型滑坡侵蚀

典型滑坡侵蚀在变形过程上可分为三个时期:酝酿期、滑动期和固结期。

滑坡在酝酿期有三个阶段:①蠕动阶段——指主滑带的蠕动变形过程。该阶段蠕动速度十分缓慢,精度不高的测量仪器都不易发现其移动,只能从后缘发育的裂缝中进行分析,蠕动过程历时甚长。②挤压阶段——抗滑的前部在后部及中部滑体产生推力的挤压过程。该阶段后部的牵引裂缝已贯通具明显的下错移动,但速度十分缓慢,受重大条件的变化(雨季与旱季的交替、前缘的切割临空)的影响,时而移动,时而停止,稳定期长于移动期。③微动阶段——主滑段已完成压缩变形,抗滑段压缩产生微量移动的过程。该阶段抗滑段的滑带逐渐发育生成,抗滑力日益减少,主滑段与牵引段常共同滑动,直到从出口挤出。

滑坡在滑动期有两个阶段:①滑动阶段——滑坡出口形成后滑坡整体共同缓慢滑动的过程。滑动初期是等速地缓慢移动或时滑时停,旱季停止,雨季及冰雪融化时移动。在向大滑动转化之前,有一段加速移动的过程。②大滑动阶段——整个滑体速度突然加剧,瞬间即可滑走数米至数百米的破坏过程。在滑带全部遭受破坏剪切后,当有外部诱发因素,如震动、融雪、降雨、人工开挖坡脚、洪水冲刷滑坡坡脚、滑带水突然上升等,突然增大的下滑力使滑体沿滑带迅速滑动,在滑动中由于条件不断改变,抗滑力增大,当能量消耗殆尽时滑体前部首先停止滑动,此过程可在 $1\sim2$ min 内完成,有的可以延续十多小时。

滑坡固结期:固结阶段——滑坡大动后前部不再前进至滑落体上裂缝完全消失止,滑体的压实、挤紧、固结的过程。该时期滑体在向前挤压和向下压实中有残余变形与局部破坏,并常有大滑动后滑坡后缘及两侧的原山坡临空引起的后级滑动与坍塌,产生对原滑动体的冲击,使之再次滑动。滑带在逐步固结后强度恢复,直至滑体上各种变形现象消失,滑坡进入暂时稳定期。

2)滑塌侵蚀的变形过程

滑塌侵蚀的变形过程可分为酝酿期、错动期和变形转化期。

(1)滑塌酝酿期。滑塌酝酿期的迹象一般不好发现,这是因为错体在下层的压缩变形十分缓慢,因以压密为主,垂直位移量大于水平位移量,但从监测中可以发现。变形形迹仅在后壁错带的附近经仔细观察可发现不很明显的裂缝。在前缘一带的水泉逐渐干涸或发生水质变浊现象。在前缘及两侧斜坡上有时出现少量隐裂隙和石块坠落现象。此阶段长且因迹象不明显而不易发现。

(2)滑塌错动期。在临近错动时,才可见到山坡的前缘有挤压鼓肚现象,后缘的裂缝则由零星而贯通,贯通到下错的时间很短,一般是突然完成的。下错时在后缘两侧可出现下错裂缝,但没有后缘明显。一旦后缘下错,该次滑塌的应力调整已完成,此时便处于暂时稳定期。

(3)滑塌变形转化期。滑塌是压应力增大而压密下层为主的变形。一般滑塌后不易再滑塌,但滑塌后的坡体多数更松弛、大气降水易渗入底错带,使滑塌体转化为崩塌与滑坡。但若出现较大的不利因素,如后缘的崩塌加荷、前缘的被冲刷、大暴雨、大地震、长时间降水、人为破坏等,可再次产生滑塌,或转化为崩塌、滑坡等。

4.1.2.3　滑坡侵蚀与溜坍侵蚀的区别

滑坡是斜坡的整体失稳,溜坍则是斜坡表面的岩土饱水而出现的表层滑动。滑坡的规模一般很大,溜坍的规模一般较小。滑坡的作用时间很长,一般以几年计或更长;溜坍的作用时间一般很短,以几个月计。

4.1.2.4　滑坡侵蚀与泥石流侵蚀的区别

滑坡侵蚀与泥石流侵蚀的区别主要有以下几个方面。

(1)滑坡的滑体是整体地(或几大块)沿滑带滑动,层次顺序不因滑动而有所改变。泥石流体自上而下基本上无层次,大块土石上下翻转、左右混淆,出现泥土包裹石块和互相挤压碰撞的现象。

(2)滑坡的滑体后级滑舌超覆于前级滑体之上,但各块、各级和各层滑体间无上下、左右的土石互相混淆和悬浮的现象,滑带中有与滑向一致的滑痕与平顺的滑面,在滑体中则无滑痕与其他碰撞痕迹。泥石流在不同部位上均可发现相互碰撞与摩擦产生的擦痕和刻痕,它们与流动方向不一定一致,且无规律,这些擦痕和刻痕是泥石流在运动中由于土石翻转碰击生成的痕迹。

(3)滑坡一般在高陡边坡生成,黄土滑坡一般沿基岩面或黄土中局部隔水层面滑动,基岩以上的堆积层几乎整层向下游整体滑动,洼地内的土石则沿老地面或基岩顶面向下游滑动。泥石流仅仅是洼地中的土石顺沟槽悬浮而下。

§4.2　滑坡侵蚀灾害链

在自然界中,滑坡侵蚀灾害与其他灾害之间往往不是孤立存在的,各种灾害之间常常相伴而生,它们之间具有无法分割的必然联系,形成滑坡侵蚀灾害链,在特定条件下,各种灾害之间相互诱发、相互转化。如在某些高陡斜坡发生破坏时,常以前缘崩塌为先导,并伴有滑塌或浅层滑坡,随着时间的推移,高陡斜坡的这些小变形逐渐转变为深层滑坡。又如经常有滑坡、崩塌发生的区域,若具备充足的水源,滑坡与崩塌物作为泥石流的重要固体物质源,可直接转化为泥石流;或滑坡、崩塌发生后,其堆积物在有水源的条件下进一步形成泥石流。根据本书的研究,自然界中同滑坡侵蚀灾害有因果关系的自然灾害的灾害链可划分为5类30种,见表4-1。

表 4-1　　　　　　　　　　　　　　滑坡侵蚀灾害链的类型

链　型	滑坡侵蚀灾害链种类	链　型	滑坡侵蚀灾害链种类
Ⅰ	Ⅰ-1　地震→滑坡侵蚀	Ⅲ	Ⅲ-1　暴雨→滑坡侵蚀→泥石流侵蚀
	Ⅰ-2　暴雨→滑坡侵蚀		Ⅲ-2　暴雨→滑坡侵蚀→溜坍侵蚀
	Ⅰ-3　洪灾→滑坡侵蚀		Ⅲ-3　洪灾→滑坡侵蚀→泥石流侵蚀
	Ⅰ-4　涝灾→滑坡侵蚀		Ⅲ-4　涝灾→滑坡侵蚀→泥石流侵蚀
	Ⅰ-5　崩塌侵蚀→滑坡侵蚀		Ⅲ-5　涝灾→滑坡侵蚀→滑塌侵蚀
	Ⅰ-6　兽穴→滑坡侵蚀		Ⅲ-6　地震→滑坡侵蚀→泥石流侵蚀
	Ⅰ-7　滑塌侵蚀→滑坡侵蚀		Ⅲ-7　地震→滑坡侵蚀→崩塌侵蚀
	Ⅰ-8　泥石流侵蚀→滑坡侵蚀		Ⅲ-8　地震→滑坡侵蚀→堰塞事件
	Ⅰ-9　溜坍侵蚀→滑坡侵蚀		Ⅲ-9　地震→滑坡侵蚀→滑塌侵蚀
	Ⅰ-10　人类作用→滑坡侵蚀		Ⅲ-10　人类作用→滑坡侵蚀→崩塌侵蚀
Ⅱ	Ⅱ-1　滑坡侵蚀→崩塌侵蚀		Ⅲ-11　人类作用→滑坡侵蚀→滑塌侵蚀
	Ⅱ-2　滑坡侵蚀→泥石流侵蚀	Ⅳ	Ⅳ-1　崩塌侵蚀→滑坡侵蚀→崩塌侵蚀→ 　　　滑坡侵蚀……
	Ⅱ-3　滑坡侵蚀→滑塌侵蚀		Ⅳ-2　滑坡侵蚀→泥石流侵蚀→滑坡侵蚀→ 　　　泥石流侵蚀……
	Ⅱ-4　滑坡侵蚀→堰塞事件	Ⅴ	Ⅴ-1　滑坡侵蚀→滑坡侵蚀……
	Ⅱ-5　滑坡侵蚀→溜坍侵蚀		Ⅴ-2　滑坡侵蚀→滑坡侵蚀→堰塞事件……

4.2.1　Ⅰ型滑坡侵蚀灾害链

Ⅰ型滑坡侵蚀灾害链是指由自然灾害引发滑坡侵蚀灾害所构造的灾害链。能够引发滑坡侵蚀灾害的自然灾害种类很多,诸如地震、暴雨、洪涝灾、滑塌侵蚀、泥石流侵蚀、崩塌侵蚀、兽穴等,因而就构成了各个种类的Ⅰ型滑坡侵蚀灾害链。

4.2.1.1　地震→滑坡侵蚀灾害链

地震→滑坡侵蚀灾害链是发生数量较多的自然灾害链。这类灾害链的特点是滑坡作为最终的灾害形式。如1920年举世闻名的甘肃大地震,发生了很多滑坡侵蚀,其中滑坡的旋涡像瀑布似的,裂缝吞下了房子和骆驼队,村庄被掩埋,死亡达20多万人。实际资料表明,地震烈度Ⅶ度区(在黄土地区为Ⅵ度)即可发生地震→滑坡侵蚀灾害链。据统计,20世纪,我国共发生6级以上地震650多次,其中,7~7.9级地震98次,8级以上地震9次。大约平均每年发生1.2次7级以上的大地震和7次6级以上地震。另据20世纪70年代编制的《中国地震烈度区划图》的统计,我国有近1/3的国土、2/5的大中城市(其中包括

20 个百万人口以上的大城市)位于地震基本烈度Ⅶ度及Ⅶ度以上的地区,Ⅶ度及大于Ⅶ
度地区遍及 28 个省、市、自治区,而我国地震烈度Ⅵ度及Ⅵ度以上地区面积约为 575 万
km²,约占国土面积的 60%。

4.2.1.2 暴雨→滑坡侵蚀灾害链

暴雨→滑坡侵蚀灾害链是自然界中最常见的自然灾害链。尤其是 20 世纪 80 年代以
来,暴雨→滑坡侵蚀灾害链表现出的危害更为突出。实际资料表明,暴雨灾情损失中的滑
坡侵蚀灾害损失占有相当大的比例。如铜川市川口滑坡位于铜川市区南侧的黄土塬边,
原来为一古老黄土滑坡,由于铜川市铝厂建设前期未做滑坡勘察工作,对滑坡的性质及其
稳定性认识不清,在没有防治措施的情况下,就在该滑体上做了一些建设工程,1976 年雨
季发现川口滑坡复活变形,1982 年由于暴雨发生整体性滑动,滑动范围为0.48 km²,滑体
上的住宅楼和其他建筑遭到毁坏,429 户职工搬离家园,经济损失达1 000万元以上。

4.2.1.3 洪灾→滑坡侵蚀灾害链

洪灾系指洪水滞留时间在 12 h 之内的洪涝灾害。洪灾→滑坡侵蚀灾害链发生在山
区、沟谷和丘陵区的江河岸坡,剪出口位于水边线一带。这些地段的洪水具有山洪或过境
洪水的特性。当洪水陡涨时,淘刷坡脚是主导因素,其次是浸泡坡脚,诱发机制主要表现
为抗滑力减小。当洪水陡降时,坡体内部的地下水来不及消散,产生动水压力,也使一部
分坡体发生滑坡。洪灾→滑坡侵蚀灾害链中的滑坡侵蚀,有时具有间歇性的年际变化特
点,即每逢汛期运动变形剧烈,但滑距有限,旱季运动趋于停止。更多的洪灾→滑坡侵蚀
灾害链中的滑坡侵蚀运动则表现出剧冲性或一次性的特征。我国每年汛期铁路、公路所
发生的水毁工程中的滑坡侵蚀灾害多属于这一类型,给国家造成了巨大的损失。

4.2.1.4 涝灾→滑坡侵蚀灾害链

涝灾是洪水过程滞留时间超过 12 h 的洪涝灾害。涝灾→滑坡侵蚀灾害链主要发生
在江河的中、下游水边线一带的岸坡上。它常与洪灾→滑坡侵蚀灾害链和暴雨→滑坡侵
蚀灾害链共生,难以准确区别。但是,涝灾诱发滑坡侵蚀灾害的机制主要是浸泡坡脚,减
小滑坡面的抗滑力;其次才是淘刷坡脚。典型的涝灾→滑坡侵蚀灾害链,如黄河下游堤防
的险工地段多属此类。这类滑坡的规模都较小,但由于正值汛期,其后果是严重的。

4.2.1.5 崩塌侵蚀→滑坡侵蚀灾害链

崩塌侵蚀→滑坡侵蚀灾害链是指由崩塌侵蚀灾害诱发滑坡灾害的过程,在自然界是
常见的,但由于其转化过程较缓慢,很少被人们所重视。新滩镇的覆盖层滑坡(1993 年 6
月 12 日)属崩塌侵蚀→滑坡侵蚀灾害链已为更多的科技工作者所认识。由于后壁在卸
载、溶蚀、沉陷作用下不断崩塌侵蚀,崩塌侵蚀堆积物散布于后壁之下,成为新滩滑坡侵蚀
体的组成物质,正是由于滑坡侵蚀体后部不断加积,最终发展为顺坡滑动,而且今后随着
滑坡体后部不断加积,仍将再次滑动,直至崩塌侵蚀过程结束,崩塌侵蚀→滑坡侵蚀灾害
链才能终止。

4.2.1.6　兽穴→滑坡侵蚀灾害链

由高原鼠兔的活动引起的山坡草场表层滑坡侵蚀是典型的兽穴→滑坡侵蚀灾害链。高原鼠兔的危害不仅表现在盗食牧草,破坏土壤,破坏牧场,造成草场退化,引起沙化,更表现在由于它们在土层不厚的高原山坡上掘洞,密集分布的鼠洞又相互连通,导致在雨量集中的雨季,雨水流入洞内,造成土层塌陷,这时的鼠洞深度一带已自然成为软弱面或软弱带,从而引起草皮成块地顺坡向下滑动,诱发为大面积的表层滑坡侵蚀灾害,彻底摧毁牧场。据调查,滹沱河两岸黄鼠形成的土洞极多;内蒙古清水河,宁夏南华山、屈吴山鼠类掘洞也很多。

自然界中的虫害,主要指土质堤坝中的蚁类灾害。约在 2 000 年前,韩非子《喻老篇》就有"千丈之堤,以蝼蚁之穴溃"的记载。蚁类诱发滑坡侵蚀的机制属于兽穴诱发滑坡侵蚀的机制类型,即由蚁巢塌陷或漏水而造成滑坡侵蚀。

4.2.1.7　滑塌侵蚀→滑坡侵蚀灾害链

滑塌侵蚀→滑坡侵蚀灾害链是指由滑塌侵蚀灾害诱发滑坡侵蚀灾害的过程,在自然界是常见的。由于滑塌侵蚀后壁在不断的滑塌堆积,滑塌侵蚀堆积物在滑坡侵蚀后部不断加积,增加滑坡侵蚀后部的载荷,使滑坡侵蚀后部质量增加而最终导致滑坡滑动,形成滑塌侵蚀→滑坡侵蚀灾害链。

4.2.1.8　泥石流侵蚀→滑坡侵蚀灾害链

由泥石流侵蚀灾害诱发滑坡侵蚀灾害的现象是非常多的,泥石流侵蚀在某些山区河谷中呈多发性。泥石流侵蚀诱发滑坡侵蚀灾害的机制主要是淘刷坡脚,增大临空面;其次是带走了坡脚的反压物质,减小滑坡面的抗滑力。典型的泥石流侵蚀→滑坡侵蚀灾害链在泥石流侵蚀多发地区较常见,这类泥石流侵蚀诱发的滑坡侵蚀规模视具体的地段有大有小,但其后果一般都比较严重。

4.2.1.9　溜坍侵蚀→滑坡侵蚀灾害链

由于溜坍侵蚀灾害诱发滑坡侵蚀灾害的过程较缓慢,很少被人们所重视,但溜坍侵蚀灾害诱发滑坡侵蚀灾害在正在活动的新滑坡侵蚀中经常发生。1998 年,作者在李家峡库区进行现场滑坡调查时发现,当时正值雨季,滑坡侵蚀体前部在雨中不断地发生散滑现象,这些滑坡侵蚀前部的物质被带走后,减小了滑坡前部的物质,增加了下滑力,最终导致滑坡再次滑动,形成溜坍侵蚀→滑坡侵蚀灾害链。

4.2.1.10　人类作用→滑坡侵蚀灾害链

由于人类工程活动的强度增加,由人类作用诱发滑坡侵蚀灾害已经成为多发事件,被许多学者所关注。如铜川市卫校滑坡位于铜川市区的黄土残塬边,原来为一古老黄土滑坡,由于在没有防治措施的情况下,在坡脚开挖,导致滑坡复活变形,使滑坡发生整体性滑动,滑体前部住宅楼和其他建筑遭到毁坏,住户被迫搬迁,经济损失巨大。由于在铁路、公路等的建设中开挖坡脚而导致滑坡侵蚀活动的实例也经常见到。

4.2.2　Ⅱ型滑坡侵蚀灾害链

Ⅱ型滑坡侵蚀灾害链主要是指由滑坡侵蚀灾害又转化为其他类型的自然灾害所构成的灾害链。滑坡侵蚀灾害能够导致的其他自然灾害主要有崩塌侵蚀、泥石流侵蚀、滑塌侵蚀、堰塞事件、溜坍侵蚀等,因而就构成了 5 种灾害链。

4.2.2.1　滑坡侵蚀→崩塌侵蚀灾害链

滑坡侵蚀灾害又转化为崩塌侵蚀灾害所构成的滑坡侵蚀→崩塌侵蚀灾害链在自然界中也经常见到。其转化机制是斜坡坡度较陡,而且滑坡剪出口位置高于坡脚,导致滑动块体前缘一旦脱离滑床即因悬空而前倾,从而形成崩塌灾害。该种灾害链通常又称为"滑崩侵蚀体"和"滑崩灾害"。如 1998 年发生在兰州焦家崖的黄土滑坡,滑坡体脱离滑床后全部转化为崩塌,倾泻于黄河中(图 4-4)。

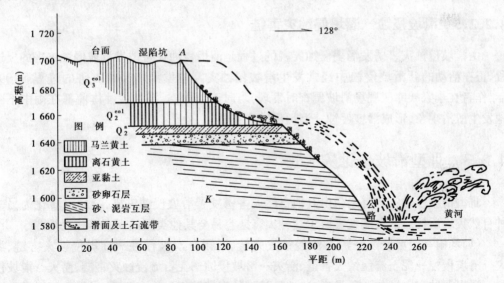

图 4-4　黑方台焦家崖滑坡剖面图(王家鼎、张倬元,1999)

4.2.2.2　滑坡侵蚀→泥石流侵蚀灾害链

滑坡侵蚀灾害转化为泥石流侵蚀灾害的方式有 3 种:

(1)饱水的滑坡体整体起动后,随即液化转化为坡面泥石流和沟谷泥石流。

(2)滑坡体滑落至坡脚,遇洪水搅拌而转化成沟谷泥石流。

(3)滑坡体停积在沟谷内,在后期洪水的作用下形成泥石流。

在滑坡侵蚀→泥石流侵蚀灾害链中,主要是指前两种方式所转化的泥石流灾害。通常,泥石流的发育条件为:①丰富的固体物质;②陡峻的地形和沟床纵比降;③充沛的水源。

但是,滑坡侵蚀→泥石流侵蚀灾害链发育的首要条件则是:①滑坡剪出口位于斜坡的中、上部,滑坡体"悬"于坡体上部,从而具有较大的势能;②斜坡具有较大的坡度;③滑坡体前方应有较大的空间,使滑坡势能转化为动能之后得以继续高速运动。

据李鸿连等人对甘肃境内122处泥石流所做的调查,泥石流体中所含的固体物质,约有65%是由滑坡提供的。

4.2.2.3　滑坡侵蚀→滑塌侵蚀灾害链

滑坡侵蚀灾害又转化为滑塌侵蚀灾害构成了滑坡侵蚀→滑塌侵蚀灾害链,其转化机制是,当滑坡滑动后,导致斜坡前沿临空,条件有利于滑塌侵蚀形成时,形成滑塌侵蚀灾害。

4.2.2.4　滑坡侵蚀→堰塞事件灾害链

滑坡侵蚀→堰塞事件灾害链主要发生在我国西部。堰塞事件南方叫堵江,北方称堰塞湖。据黄河水利委员会西峰水土保持科学试验站资料(王德贤,1988),仅甘肃庆阳地区调查到的堰塞湖就有39处。

4.2.2.5　滑坡侵蚀→溜坍侵蚀灾害链

由滑坡侵蚀灾害诱发溜坍侵蚀灾害的过程是溜坍侵蚀灾害诱发滑坡侵蚀灾害的反过程,正在活动的新滑坡侵蚀中经常发生滑坡侵蚀灾害诱发溜坍侵蚀灾害的过程。1998年,作者在李家峡库区现场滑坡调查时发现,当时正值雨季,滑坡侵蚀体前部在雨中不断地发生散滑现象,形成滑坡侵蚀→溜坍侵蚀灾害链。

4.2.3　Ⅲ型滑坡侵蚀灾害链

Ⅲ型滑坡侵蚀灾害链系指由其他自然灾害诱发了滑坡侵蚀灾害,继而又转化为另一种自然灾害所构成的自然灾害链。这种灾害链容易与其他类型的灾害链相混淆。

(1)暴雨→滑坡侵蚀→泥石流侵蚀灾害链、暴雨→滑坡侵蚀→溜坍侵蚀灾害链、洪灾→滑坡侵蚀→泥石流侵蚀灾害链、涝灾→滑坡侵蚀→泥石流侵蚀灾害链、涝灾→滑坡侵蚀→滑塌侵蚀灾害链共5种类型,这5种类型的灾害链都有许多联系:①暴雨可以导致洪灾和涝灾;②洪灾和涝灾有时难以分开或交替出现;③有时暴雨可以和洪、涝灾害同步发生;④暴雨、洪灾、涝灾等自然灾害所诱发的滑坡侵蚀最终转化成为泥石流侵蚀、溜坍侵蚀、滑塌侵蚀灾害。

(2)地震→滑坡侵蚀→泥石流侵蚀灾害链、地震→滑坡侵蚀→崩塌侵蚀灾害链、地震→滑坡侵蚀→堰塞事件灾害链、地震→滑坡侵蚀→滑塌侵蚀灾害链4种灾害链,是指地震期间由地震诱发的滑坡侵蚀,继而又转化为泥石流侵蚀、崩塌侵蚀、堰塞事件、滑塌侵蚀的情况,并非泛指地震仅作为滑坡侵蚀的一种诱发因素而言。地震→滑坡侵蚀→泥石流灾害链发生区的最大特点是流域内缺乏一般泥石流或源头特有的清水动力区。其成灾机制主要表现为:①地震滑坡堵断流水,很快在堰塞湖水作用下又形成泥石流;②水坝因发生地震滑坡而溃决;③饱水坡体发生地震滑坡,在运动中液化并铲刮地表固体物质,从而暴发泥石流;④坡体物质沿下伏的地震液化层滑动、解体而暴发泥石流;⑤滑坡发生后,斜坡临空,条件适宜时形成崩塌、滑塌。

(3)人类作用→滑坡侵蚀→崩塌侵蚀灾害链、人类作用→滑坡侵蚀→滑塌侵蚀灾害链仅发生在现代人类工程活动强烈的地区,成灾机制是人工切挖坡脚,坡体前缘形成临空陡坎,人工弃土弃渣增加坡体上部荷载,工业、生活排水入渗坡体等导致滑坡滑动后,斜坡形成新的临空面,在条件适宜时形成崩塌侵蚀、滑塌侵蚀灾害。

4.2.4　Ⅳ型滑坡侵蚀灾害链

Ⅳ型滑坡侵蚀灾害链可以称为复合型滑坡侵蚀灾害链。典型的种类是滑坡侵蚀灾害与崩塌侵蚀灾害之间相互促进(崩塌侵蚀→滑坡侵蚀→崩塌侵蚀→滑坡侵蚀……)以及滑坡侵蚀灾害与泥石流侵蚀灾害的相互促进(滑坡侵蚀→泥石流侵蚀→滑坡侵蚀→泥石流侵蚀……)。

前者仍可以新滩崩滑侵蚀体后部和后壁一带为代表。当长期积累的崩积物滑离后,后壁坡脚一带的反压减少,助长坡脚处的岩体侧向扩展,这又将进一步影响整个坡体内卸荷裂隙的发展,从而促进崩塌作用的发育。事实上,新滩滑坡发生滑动后,后壁确有约60 万 m^3 的危崖体显露出变形迹象即为佐证。

滑坡侵蚀灾害与泥石流侵蚀灾害的相互促进,主要体现在堵断泥石流的滑坡体与泥石流冲刷作用之间的关系。

4.2.5　Ⅴ型滑坡侵蚀灾害链

Ⅴ型滑坡侵蚀灾害链较为特殊,主要是滑坡侵蚀灾害事件之间的相互影响,甚至进一步导致其他类型的自然灾害。

4.2.5.1　滑坡侵蚀→滑坡侵蚀……

该种滑坡灾害链最简明的是由牵引式滑坡转化为推动式滑坡。牵引式滑坡是由第一级滑坡发生后,导致其后壁一带又发生了新的滑坡。在通常情况下,它们的滑坡面可能受同一层位的软弱面控制,实际上为统一的滑动面,或者后一级滑动面略浅。如果后一级滑坡的滑动面位置更高,甚至在滑坡体后缘高程一带剪出的话,则发生后一级滑坡超覆在前一级滑坡体后部的情况。这时两者之间已不是单纯的"牵引"关系,后者稳定性也要影响前者的稳定性。

4.2.5.2　滑坡侵蚀→滑坡侵蚀→堰塞事件……

该种Ⅴ型滑坡侵蚀灾害链以甘肃舟曲县泄流坡滑坡最为典型。该滑坡体后段为滑坡群,众多的小滑坡不断地向滑坡主轴一带滑动、输送物质。随着小滑坡的加积作用,滑坡体便以推动式滑动向下运动,这是该滑坡的主要诱因。其活动状态犹如新滩滑坡的中、后部滑动状态。据调查,1903 年以前就有过滑动,1903、1907、1922、1931、1949、1961、

1963年和1981年又滑动多次,其余年份也有小规模活动,该滑坡已多次堵断白龙江,造成很大损失。

§4.3 小 结

综上所述,在自然界中存在着各种各样的滑坡侵蚀灾害链。滑坡侵蚀甚至与其他自然灾害结合在一起构成了灾害网,并成为自然灾害体系的一个重要组成部分。滑坡侵蚀灾害链大量出现的事实告诉人们,滑坡侵蚀灾害不是孤立的事件,它是自然环境的产物,并对自然环境具有反馈作用。分析滑坡侵蚀灾害时,不仅需要综合分析其发育和形成机制,而且在许多情况下,还需根据有些发育条件本身就是自然灾害、滑坡侵蚀灾害还将转化成其他类型的自然灾害的客观实际情况,从自然灾害链的角度,深化对滑坡侵蚀灾害的认识。从表面上看,滑坡侵蚀灾害链的存在使自然灾害防灾工作复杂化。实际上,它反而使防灾对策更加科学化和系统化,使防灾对策更有成效。滑坡侵蚀灾害链的存在,也使决策机构将动员更多学科的科技力量参加自然灾害的防灾工作,构成有实力的防灾科技体系,推动我国防灾工作达到一个新的水平。

第 5 章　滑坡侵蚀的成因与分布

滑坡侵蚀的成因主要是指滑坡侵蚀的形成条件和滑坡侵蚀的诱发因素。

§5.1　滑坡侵蚀的形成条件

滑坡侵蚀的形成条件主要包括地形地貌、地层岩性、地质构造、坡体结构、水文地质条件等几方面。

5.1.1　地形地貌

地形地貌与滑坡形成的关系可从以下几个方面做出说明。

5.1.1.1　地形地貌景观是判断老滑坡成因和推断老滑坡是否复活的依据

(1)老滑坡后缘、侧缘的山坡上有宽大的向滑坡倾斜的缓坡,而且缓坡上土体松软破碎,滑坡生成有可能以地表水的下渗作用为主。

(2)后山具有断裂带形成的陡坎或断崖时,应查清是否有断层水流向老滑坡,断层水可能是老滑坡生成的主要条件,也可能是老滑坡复活的主要条件。

(3)老滑坡表面的起伏不平,是滑坡各块运动不同步的结果,又有利于地表水入渗滑坡体补给滑带,对老滑坡的复活滑动创造了条件。

(4)滑坡舌伸入岸边河流之中,老滑坡生成可能有岸边水流冲刷坡脚的作用,岸边水流的继续冲刷也可能导致老滑坡复活。

(5)老滑坡前沿已顶实了对岸山坡而未被冲开前,不能再向前滑动,或向两侧滑动,或滑坡逐步稳定。

5.1.1.2　活动滑坡的地形地貌条件

(1)活动的滑坡在后山若具断裂陡坎与断壁的地形,应观察断层水对滑坡生成的影响。若后山坡体岩土体破碎、松散,由于破碎程度不同地表水渗入滑坡体内的水量也不同。若后山宽阔而平缓,与滑坡的生成关系密切的地表水入渗作用不能忽视。

(2)活动滑坡地表各种裂缝不断地扩大,地表水及大气降水不断增大渗入量而直接补给滑带土,此时地表水对滑坡的滑动起主要作用。若地裂缝贯通到主滑带,就有条件使水沿裂缝直接渗流至滑带部位,增大滑带水的补给强度。

(3)岸边水流冲刷滑坡前沿有削弱前部抗力的条件,应确定水位对活动滑坡前部的冲刷强度和浸湿的范围等。

5.1.1.3　容易生成滑坡的地形地貌

(1)破碎基岩构成高陡山坡时,水流冲毁坡脚可引起滑坡生成。

(2)水流冲击单面山或山前堆积体构成高陡山坡时,可沿基岩层面或者不同堆积层次之间滑动。

(3)山坡基岩各种构造面(层理带、断层带、不整合面、沉积间断面、地层分界面、软弱岩土夹层)倾向河流时,水流切割这些构造面,滑坡则沿各种带、面滑动。

(4)在基岩层面倾向与山坡坡向不一致时,具有切层滑坡或由错落转化为滑动的条件。

(5)高大且陡峭的山坡,当下部有破碎的岩土或软岩时,在水流冲刷及浸湿这些岩石后,由于下部承载能力不足可产生大型崩、滑的条件。

5.1.2　地层岩性

滑坡侵蚀的发生与地层岩性关系密切,且主要取决于有易滑岩土层。

5.1.2.1　易滑岩土特性

具亲水性,并且吸水后易膨胀、失水后易收缩等特性的岩土,或者遇水盐分、胶结物被溶解使得结构被破坏而强度丧失的岩土,称为易滑岩土。易滑岩土构成的地层或夹有易滑岩土的地层为易滑地层。第四系地层中的粉土、粉砂、泥岩、页岩,第四系前的变质系地层、煤系地层,铝土岩、碳酸岩地层中含泥灰岩及炭质岩层,变质岩地层中富含泥质和片状及风化片麻状的变质岩,岩浆岩地层中花岗岩风化壳和凝灰岩及凝灰质地层,软质蚀变岩,含各种易溶盐和易溶的化学及生物沉积物的地层等。易滑地层假如组织致密、构造裂面少,或超压密下不易进水和膨胀,则也会稳定。山坡上易滑岩土的一层具备了受水条件,易滑层临空方向倾斜度大于易滑层被水浸润后的综合抗剪强度角时,则有可能沿易滑层滑动。坡体内岩土结构含易滑层时,对易滑层的补水通道要进行分析,评价易滑层对滑坡生成的作用。

5.1.2.2　易滑岩土辨析

因矿物、成分、形成成因、组织结构的不同,易滑岩土的特点亦不同,应根据斜坡实际分析易滑层对滑坡生成具有的主、次关系。

(1)当浅海相黏土岩组的液限比较高并夹有粉土、粉砂层,四周为封闭的隔水层而不易进水,则水易进不易出,饱水后产生超孔隙水压,易造成滑动。封闭和高液限黏土层夹粉土、粉砂是造成滑动的必备条件。

(2)海相含盐黏土层,淡水淋滤使结构破坏、强度丧失而产生滑动。含盐黏土层具备淡水淋滤条件为滑坡生成的必备条件。

(3)高灵敏性海相黏土,振动破坏该层结构使之产生滑动,并可迅速扩大滑动范围。高灵敏性海相黏土为产生滑动的必备条件。

（4）高压缩性、高湿陷性的风成黄土,据垂直节理、大孔隙,往往形成高陡边坡,大气降水沿垂直节理、大孔隙入渗其中,当遇到基岩、钙层、古土壤层等相对隔水层时,层面上积水泥化或软化而形成软弱结构面,坡体则沿软弱结构面向临空面滑动。高压缩性、高湿陷性的风成黄土是滑坡形成的必备条件。

（5）易滑岩土呈层状结构时,顺层滑动容易产生。易滑岩土呈层状结构是生成滑坡的主要条件。

5.1.3　地质构造

地质构造控制滑坡侵蚀主要表现在以下几个方面。

（1）两巨厚坚硬岩层夹软岩,构造作用使上、下坚硬岩层错动使软岩揉皱褶曲后产生储水的空间,软岩遇水泥化、软化生成滑坡滑动的滑动面。坚硬岩层夹软岩是生成滑坡滑动的主要条件。

（2）山坡上存在断层破碎带,特别逆断层上盘,次一级构造裂面发育,当裂面向临空倾斜时,容易生成滑坡。断层破碎带是滑坡生成的主要条件。

（3）构造裂面的不同组合,可生成向临空面不同形状与大小的滑坡。基岩滑坡的滑带多数可以沿层间错动带、顺坡断裂面、断层糜棱带、卸荷裂隙等为主滑带而滑动。新构造运动产生的黄土层内断裂为滑坡生成的主要条件。另外,坡体内的断裂亦为滑坡生成的主要条件。

（4）黄土构造节理往往严格按一定方向展布,成群的按固定方向延伸很远(图 5-1、图 5-2),控制着沟头的发育,使塌陷具有一定的方向性,滑坡破裂面往往也沿这些节理面发育。

5.1.4　坡体结构

坡体结构在一定程度上也控制着滑坡侵蚀的发生,主要表现在如下几方面。

（1）山体走向与岩层走向一致,特别是高陡山坡,滑坡便会沿岩层层面向临空方向滑动,产生顺层滑坡。山体走向与岩层走向相反,且坡体具一定的结构条件,则能生成切层滑坡。顺层滑坡的岩层需具有倾斜度、含水的层间错动带或泥化夹层。切层滑坡则要具有向临空面倾向的平行的张性裂面、顺坡断层带等。特定的坡体结构是滑坡生成的主要条件。

（2）山体走向与岩层走向相反,中薄层的软岩与硬岩互层的沉积岩或变质岩组成的高陡岩坡,岩坡下部受压变形,上部向下部弯曲蠕动,岩坡逐渐生成向临空面倾倒的现象,最终转化成大型滑动。山体走向与岩层走向相反,中薄层的软岩与硬岩互层的岩体结构、岩坡高陡是滑动的主要条件。

（3）上部为巨厚的硬岩、下部为破碎软岩组成的高陡边坡,下部破碎软岩因承载强度不足产生变形而引起滑动。上硬下软的坡体结构是生成滑坡的主要条件。

（4）压性挤入岩脉穿插下的岩体,岩脉附近的岩体比较破碎,常构成汇集地下水的通

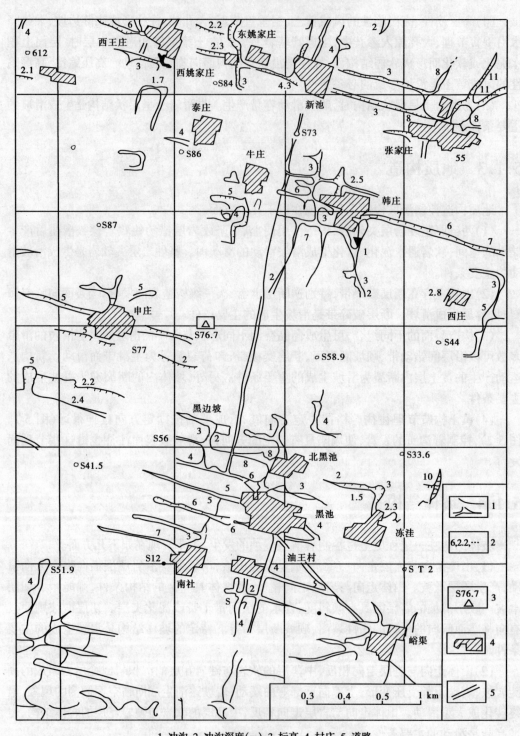

1.冲沟;2.冲沟深度(m);3.标高;4.村庄;5.道路

图 5-1　陕西合阳县黑池黄土塬面
冲沟沟脑沿构造节理发育图(王景明,1996)

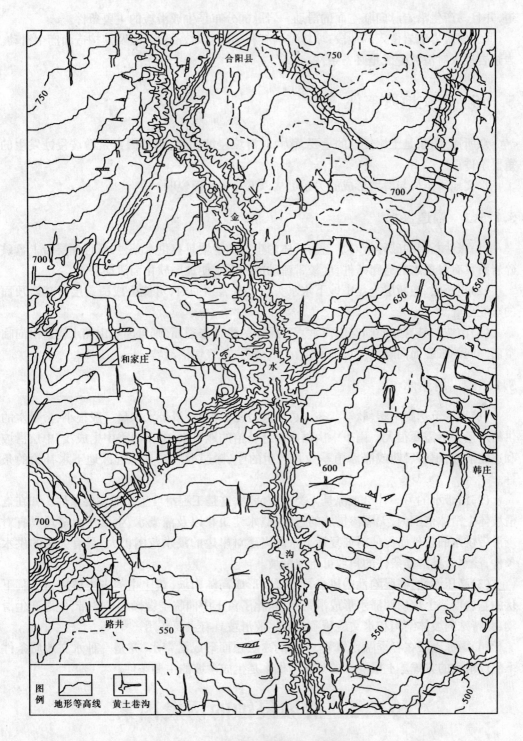

图 5-2 陕西合阳县城南黄土塬面
冲沟沟脑沿构造节理发育图(王景明,1996)

道,并且易产生沿岩脉向临空面的滑动。岩脉的分布是生成滑坡的主要条件。

(5)多次岩浆岩侵入的地段,坡体结构有利于滑动时,沿侵入岩及其构造面产生滑动。岩浆岩侵入对滑坡生成是必备条件。

5.1.5　水文地质条件

众所周知,水是土壤侵蚀的重要营力,对滑坡侵蚀而言,水的因素是滑坡侵蚀发生的重要条件。

水文地质条件与滑坡形成的关系可从以下几个方面说明。

5.1.5.1　构造供水

(1)张性断层的破碎带对上盘岩石体内生成的滑坡具有供水条件,压性断层带上盘破碎岩石具有渗透水的通路条件,糜棱带流动的地下水使地层软化而滑动。

(2)正断层、逆断层上盘中地下水水头超过基岩顶面时,可能生成覆盖层沿基岩顶面的滑坡。

(3)山坡上具有倾向临空面而垂直于层面的松弛张裂面,则可因后山储水构造沿向临空面倾向的张裂面向顺坡滑坡补水,可生成多层、多级切层滑坡。

5.1.5.2　滑带水

(1)滑带土达到中塑、软塑状态即可引起滑动。因此,滑带水水量一般很小,滑带水的供给水量并不需要很大。雨季中由雨水渗透补给的地下水,常于雨季中生成浅、中层滑坡和边坡滑坡;雨季后期或滞后雨季数月产生的中、深层滑坡系具有远区地下水补给的条件。

(2)滑带水的另一补给来源是人类工程活动,这是工程滑坡生成的主要条件。如在老滑坡体上滑体范围内,无隔渗措施的过水、储水建筑物以及灌溉水、生活污水等均具有对老滑带供水的条件而促使滑坡复活。水库兴建对岸边的浸水范围扩大,具有大量的供水条件,浸水后具滑动条件的斜坡可生成滑坡。

(3)高压缩性、高湿陷性的风成黄土可以形成高陡山坡,黄土中的古土壤层、钙层、下伏的基岩面等上部局部滞水形成滑带水,软化了黄土中向临空缓倾的松散带,使之产生滑动,此特殊的坡体结构和水文地质条件对生成滑坡具有主要作用。

(4)融冻土层在春季融化季节,土层的冰层顶面形成滑带水,亦是一种水文地质条件下生成滑动的方式。上层滞水的分布与供水是生成滑坡的主要条件。

§5.2　滑坡侵蚀的诱发因素

除了上述控制性因素或背景因素等滑坡侵蚀的形成条件,滑坡侵蚀的发生还必须具备必要的诱发因素。

(1)大气降水、地表水、生产生活用水的入渗,河湖水倒灌,地下水等在山体内,增加了坡体重量,增加了下滑力。同时,浸泡软化易滑地层,使抗剪强度大幅度降低而产生滑动。水能形成静水压力,出现水头差时形成动水压力增加下滑力。

(2)湖泊、沟谷、河流、海洋水流冲刷岸坡,淘蚀坡脚,削弱斜坡支撑力,当下滑力增大到大于抗滑力时,斜坡就会产生滑动。当滑体滑入沟、河、湖、海洋中时,前部堆积可反压斜坡成为斜坡抗滑阻力,水流将这些堆积物冲走后,斜坡将再次失去平衡而发生滑动。

(3)工程活动可以破坏坡体。在坡体上由于建筑、倾倒、填方、筑堤等增加荷载引起边坡超载,增加荷载使坡脚压力增大,使斜坡支撑不了过大的质量而失去平衡,沿软弱面下滑。在坡体下开挖坡脚与边坡削方挖土、堆积物搬迁使坡脚下部失去支撑,使斜坡支撑不了斜坡上部过大的质量而失去平衡,导致斜坡沿软弱面下滑。当水库蓄水后,人为地提高地下水位及地表水位,使库岸边坡浸水湿润,造成斜坡失稳。促使滑坡的发生。爆破开矿、修路,重型运输等引发的动力震动也能促进山坡失稳而产生滑坡。

(4)地震使斜坡承受的平衡应力发生改变,还会造成地表形变和裂隙增加,降低岩土的力学强度,触发滑坡的滑动和促进滑坡体的形成。

(5)乱砍滥伐导致山坡上植被消失,使坡体表面失去保护,有利于大气降水、地表水的渗入而诱发滑坡。

(6)由崩塌而诱发滑坡的过程,在自然界是很多的。由于滑坡后缘在卸载、溶蚀、沉陷等作用下不断崩塌,崩塌堆积物散布于滑坡后缘之上,滑坡体后部不断加积而荷载增大,当坡体不堪重负时最终发展为滑动。

(7)兽害是指高原鼠兔在土层不厚的高原山坡上掘洞,密集分布的鼠洞又相互连通,导致在雨量集中的雨季,雨水流入洞内,造成土层塌陷,这时的鼠洞深度一带已自然成为软弱面或软弱带,从而引起草皮成块地顺坡向下滑动,诱发为大面积的表层滑坡,以致彻底摧毁牧场。虫害诱发滑坡侵蚀主要指土质堤坝中的蚁类。蚁类诱发滑坡侵蚀的机制与兽穴诱发滑坡侵蚀的机制相类似,即由蚁巢塌陷或漏水而造成滑坡侵蚀。

§5.3　黄土高原滑坡侵蚀分布

黄土高原是一个独特的地貌单元。由于自然环境脆弱和人类活动的加剧,黄土高原地区各种灾害频繁发生,其中滑坡、泥石流的危害最为严重。各种严重的灾害,使黄土高原地区耕地面积逐年减少,工农业生产和人民生命财产受到巨大威胁。

为了充分认识黄土高原地区滑坡侵蚀的分布规律,有效地防治水土流失,对滑坡侵蚀的分布规律必须进行宏观的把握。黄土高原滑坡侵蚀的分布受各种条件的控制,在时间和空间上有明显的差异。

5.3.1　滑坡侵蚀空间分布的群体性

有关学者对黄土高原滑坡的分布做过专门的研究(靳泽先、韩庆宪,1988),在黄土高原地区滑坡是成群、连片出现的,地理坐标大概在北纬 35°～北纬 36°之间。这一带的分布受内、外因素的控制。

　　黄土高原滑坡集中分布的中、新生代盆地有青海的湟水盆地,甘肃的陇中盆地和陇东盆地,陕西关中盆地南部、陕西北部的南部和陕西北部的延安、志丹、吴旗,滑坡的分布密度自盆地中心向周边逐渐减少。

　　地震造成的滑坡在黄土高原也具有明显的群体性。如1920年海原大地震形成的滑坡,集中分布在海原、西吉、通渭三个震中附近。地震是新构造应力场中应力释放的突发性表现形式,一次大地震,可以在极短时间内破坏岩土体内的应力平衡产生滑坡,也可以诱发处于极限平衡状态的岩土体发生滑坡。地震滑坡分布广泛,活动期长,复发性多,大面积滑坡群体区的再现和大震的重现在时空上都是同步的。

　　黄土高原滑坡分布的群体性是由易滑地层及其结构所决定的,这里广泛分布的易滑地层,控制了黄土高原90%的滑坡。黄土高原西部的易滑地层主要是黄土与红色泥岩,它控制了该地层90%的滑坡,其余是砂岩、砂页岩、砂砾岩以及其他含煤地层。

5.3.2　滑坡侵蚀空间分布的分带性

　　黄土高原滑坡在西南部密集分布,向东北部逐渐稀少。大致是在兰州、西吉、陇西、天水,即六盘山以西地区,滑坡侵蚀强烈发育;东北部地区,大致是在西峰、铜川、绥德滑坡发育相对比西南部少。

　　沿秦岭北坡与黄土高原接壤地带,由于受大地构造的影响,滑坡发育比较密集,闻名中外的洒勒山大型高速滑坡就在这一地带内。

5.3.3　沿沟谷线状展布性

　　黄土高原沟谷、冲沟发育,暴雨集中,沟谷两侧斜坡坡脚受流水的强烈冲刷、侵蚀严重,导致斜坡临空面增加,沿沟谷两侧滑坡、崩塌、滑塌等重力侵蚀非常发育,滑坡侵蚀灾害严重。

　　如西安市灞河向白鹿原的侧向侵蚀,白鹿原边坡越变越陡,沿白鹿原边缘产生线状分布的滑坡群;又如巴谢河谷的不对称,使巴谢河北岸的斜坡地带滑坡分布密集。

5.3.4　滑坡受降水控制性

　　在黄土高原地区,大范围的降水引起滑坡滑动是比较多见的。一般来说,秋季降水滑坡的发生率大于夏季,降水滑坡的雨型有连续阴雨型、暴雨型、大暴雨型。在不同自然条件下发生的降水滑坡活动在时空、雨型与降水指标上都是不能对比的,差异性很大,各有自己的区域特征。

5.3.5　人类活动控制滑坡的形成

　　由于人类活动的影响,滑坡的分布也具有群体性,如铜川市、兰州市、西宁市、天水市、延安市等。随着社会经济建设的发展,人类工程活动日益广泛,由此而引起的人为滑坡与日俱增。20 世纪 60 年代末到 80 年代初,人们任意破坏生态环境,引起包括滑坡在内的自然灾害系统的连锁反应。因此,必须在多方面采取措施,恢复生态环境,才能遏制滑坡的发生。人类活动引起的滑坡已经愈来愈多地受到人们的重视。

综上所述,黄土高原滑坡侵蚀具有空间分布的群体性、空间分布的分带性、沿沟谷线状展布性、滑坡受降水控制性、人类活动控制滑坡的形成等方面的规律性。

第6章　滑坡侵蚀数值模拟

　　滑坡侵蚀是一种复杂的斜坡变形过程,由于滑坡内部结构构造的复杂性和滑坡组成物质的不同,滑坡侵蚀具有不同的破坏方式,对于不同的滑动面形式,国内外有关学者采用不同的分析方法和计算公式评价其稳定状态。目前用于滑坡稳定性分析的方法大体上可分为非确定性方法和确定性方法两大类。非确定性方法主要是将模糊数学、灰色理论以及概率论等学科应用于滑坡稳定性的评价和预测预报中。确定性分析方法包括数值分析法和刚体极限平衡法。极限平衡法大多是将滑坡体分块,假定各块为刚体,根据各分块的静力平衡条件分析滑坡稳定性。此外,各种方法计算过程的复杂程度、计算滑坡稳定系数的误差等存在明显的差异。总体来讲,计算过程简单,误差较大;而要使误差较小,其计算过程又十分复杂。并且,往往一个滑坡用一个稳定系数评价其稳定程度与实际情况也有一定差距,由于滑坡不同部位结构构造不同,其稳定状态也存在明显差异,需要运用不同的稳定系数评价滑体不同部位的稳定程度。由于滑坡块体受力是一个超静定问题,针对使坡体问题的静定化而能够求解的目的,产生了各种极限平衡方法,极限平衡法能反映滑坡的整体稳定状态,但其缺点是不能反映滑坡体内部的受力状态及各部分稳定性情况的变化及发展过程,这一点数值分析法有其优势。

　　数值方法用于滑坡分析中的主要有有限元法和离散元法,有限元法适合于连续介质,离散元法适合于块体介质。本章采用铜王公路2号滑坡侵蚀实例,运用有限元分析滑坡侵蚀形成的力学机制、离散元模拟滑坡侵蚀的运动学过程。

　　滑坡侵蚀动力学和运动学是一个动态问题,经历了变形、破坏到运动的动态力学过程,从量变发展到质变过程。总的来说,量变的积累是一个小变形过程,而质变发生后的破坏、运动则是一个大变形的过程,到目前为止,还没有一种数学模型能统一表述两种变形过程。因此,岩体的数值分析大致可以分为两类。第一类方法大致包括有限单元法(Goodman,1975)和边界单元法(位移间断法)(Clouch 和 Starfield,1983)。这类方法对于模拟大位移或块体的大角度旋转通常无能为力,在分析中通常假设岩体是连续并且只发生微小量的变形,整个岩体包括边界限定条件均用一个矩阵方程描述,求解该方程即可得到位移、应力等未知量,刚体运动通常并不包括在方程中。第二类方法通常包括离散单元法(Cundall,1971)和不连续变形法(Discontinuous Deformation Method)(石根华,1988)。这类方法与第一类方法具完全不同的原理,被模拟物体被看做为由节理在内部分割的离散状组合体,或规则形状颗粒的组合体(粒状体或球状结构岩土体),块体或颗粒通过边界接触力相互联系,根据特定的本构模型,接触力随单元的刚体运动或位移而变化,分离体允许有有限位移乃至脱离接触,并可在计算过程中自动地调整,块体系统的运动方程通常通过显式时步法加以求解,因而更适用于解决诸如滑移、张开或闭合等的节理非线性问题。同时,动力和准静力问题均可通过黏性阻尼模型加以解决,块体的变形既可通过内部离散(有限单元或有限差分单元)与块体自然变形模式叠加确定,也可通过对块体应变的多项式近似加以解决。

§6.1　数值模拟原理

6.1.1　弹塑性有限单元法分析原理

6.1.1.1　有限单元分析的基本思路

有限元的分析过程,概括起来大约分为以下 6 个步骤。

6.1.1.1.1　介质离散化

介质的离散化是有限单元法分析的第一步。所谓离散化的过程,就是将分析对象划分成有限个单元体,并以单元体的角点为节点,相邻的单元通过节点连接起来,节点连接为链支,只考虑力平衡,不考虑力矩平衡,平面问题单元形状有三角形和四边形,单元的大小和数目随研究区域的精度要求而变化,同时要考虑计算机性能和速度。

6.1.1.1.2　选择位移模式

对介质离散化后,进行单元分析。此时,为了能用节点位移表示单元体的位移、应变和应力,在分析连续问题时,要对单元中位移变化规律作出假定,也就是给定位移随坐标的函数,这种函数称为位移模式或位移函数。根据所选定的位移模式,就可以导出用节点位移表示单元内一点位移的关系式。有限单元法采用分块近似,只需对一种单元选择一个近似位移函数而不必考虑位移边界条件,但要保证各单元之间位移的连续性。这样做当然比起在整个区域中选取一个连续函数要简单得多,特别是对复杂的几何形状或者材料性质。对于作用载荷有突变的结构,采用分段函数,比起采用连续性较强的整段函数来近似精确的位移函数更为适宜。

6.1.1.1.3　分析单元的力学特性

位移模式选定以后,就可以进行单元力学特性的分析,它包括下面 4 个方面的内容:

(1)位移模式同样适合于节点,这样单元内任一点位移就可以用节点位移表示出来;

(2)利用几何方程,即应变与位移的关系式将单元内的应变用节点位移表示;

(3)利用本构方程,即应力、应变关系式,将单元应力用节点位移表示;

(4)利用虚功原理建立单元应力、应变与节点力和节点位移之间的关系式,即形成单元的刚度矩阵方程。

在以上 4 项中,导出单元刚度矩阵是单元特性分析的核心内容。

6.1.1.1.4　计算等效节点力

连续体经过离散化后,假定力是通过节点从一个单元传递到另一个单元,但是作为实际的连续体,力是从单元的公共边界传递到另一个单元的。因而,这种作用在单元边界上的表面力以及在单元上的体积力、集中力都需要等效移到节点上去,也就是用等效的节点力来替代所有作用在单元上的力。移的方法是按照作用在单元上的力与等效节点力在虚位移上的虚功都相等的原则进行的。

6.1.1.1.5　整体分析

集合所有单元的刚度方程,建立整个结构的平衡方程。这个集合过程包括有两方面的内容:一是由各个单元的刚度矩阵集合成整个物体的整体刚度矩阵;二是将作用于各单元的等效节点力列阵集合成总的载荷列阵。最常用的集合刚度矩阵的方法是直接刚度法。一般来说,集合所依据的理由是要求所有相邻的单元在公共节点处的位移相等。于是得到以整体刚度矩阵、载荷列阵以及整个物体的节点位移列阵表示的整个结构的平衡方程。引入应力或位移边界条件,使方程组由奇异变为非奇异,即可解。

6.1.1.1.6　求解线性方程组

由方程组求解出节点位移分量,对于非线性问题,则要逐步修正刚度矩阵或载荷列阵,才能最终获得解答。最后,再将位移分量回代,可求出单元应力－应变及任一点的位移,并加以整理,以矢量图和等值线图的形式反映出来。

6.1.1.2　弹塑性应力－应变本构关系

弹塑性是岩土介质的重要特性之一,特别是土体和软弱岩石,当斜坡岩土体所承受的荷载增加到一定的量级时,介质会产生不可恢复的塑性变形。由于塑性变形的出现,从而使岩土体的应力－应变关系表现为非线性。

描述岩土应力－应变关系全过程的弹塑性模型如图 6-1 所示。

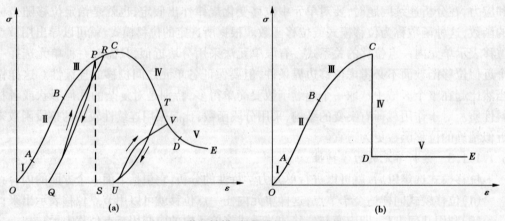

图 6-1　弹塑性模型(周维垣,1990,略修改)

图 6-1(a)表示一般岩土材料在普通室温和大气压条件下进行的单轴压缩试验得到的典型曲线。曲线大致可分成 4 个区域。当作用在试件上的压应力从零开始逐渐增加时,在第一区域 OA 段内,应力－应变曲线向上弯。也就是说,随着变形的增加,产生同样大小的应变所需增加的应力越来越大。试验证明,这是由于岩土中原有的孔隙和裂缝被逐步压紧闭合而产生的现象。对于致密的岩土区域就没有或很少有这种现象,在几十兆帕的围压下进行压缩试验,一般没有这一现象;在第二个区域 AB 段内,应力与应变之间接近于直线关系,它的斜率就是岩石的弹性模量 E,在Ⅰ、Ⅱ区域内,如果卸除荷载,变形完全恢复,B 点对应的应力值称为弹性极限或屈服应力,在它之前,岩石处于弹性变形阶段。当继续增加应力进入第三区域 BC 段时,曲线逐渐向下弯,到 C 点处达到应力最大

值(峰值)。在这一区域内任意点 P 卸去荷载时,应力、应变将沿 PQ 线下降。在压应力下降到零时,应变却没有完全消失,岩石有残余变形,这种变形称为塑性应变。也就是说,在应力超出弹性极限之后,例如在 P 点,对应的应变可视为由弹性应变部分(QS)和塑性应变部分(OQ)组成。如果从 Q 点重新加载,应力、应变将沿 QR 上升而未到 R 点,与 BC 线重新连接起来。PQ 和 QR 接近于平行 AB 线。在应力、应变沿 QR 上升而未到 R 之前,岩石仅发生弹性变形,不产生新的塑性变形。因此,相当于把弹性极限从 B 点对应的应力值提高到 R 点所对应的应力值。这种现象被称为应变硬化或工作硬化现象,C 点对应的压应力值称为压缩强度,对于一般岩土,它是弹性极限的 $1.5\sim2$ 倍。从 B 点开始,可以借助于仪器探测到岩土试件中有微破裂发生。当压应力增至压缩强度的 95% 时,微破裂有较大增长。在这一阶段,岩石中不断产生新的裂隙,到 C 点时,即使在岩石试件的表面上,也可看到明显的破裂形迹。这时如果保持试件上的压力不变,或压力减小得不及时,试件会突然碎裂破坏。如果材料试验机(例如刚性试验机)能及时地减小载荷,将能记录到第四个区域 CD 段。这时试件虽已发生显著的塑性变形,但仍保持为一整体,仍可承受一定的载荷和继续变形而不至于破碎。岩石在 CD 段内强度逐渐降低,这种现象称为应变软化。当应力降低到岩石试件的某些面上完全丧失黏着力而发生宏观破坏。在变形的第Ⅰ、Ⅱ、Ⅲ区域,随着变形增大应力也增大,即 $d\sigma \cdot d\varepsilon > 0$,称为稳定阶段;在变形的第Ⅳ区域,随变形增大应力减低,即 $d\sigma \cdot d\varepsilon < 0$,称为非稳定阶段。由于出现塑性变形,使卸载曲线的斜率有所降低,这种现象称为弹塑性耦合,这种现象在非稳定阶段更为显着。

为了突出弹塑性材料的主要性质,经常根据试验曲线做某些简化,得到理想化的曲线。这些简化是:①在整个 OB 段假设变形是纯弹性的,也即在卸载时按原来曲线退回到原点,通常还假设整个弹性阶段,应力、应变之间成线性关系,即杨氏模量 E 是一常数,当然也可更一般地假设是非线性弹性,这时 E 是应力 σ 的函数;②从超过 B 点之后的状态卸载和重新加载的两条曲线完全重合,通常不考虑弹塑性耦合现象,这时卸载曲线可以是直线(线性弹性),也可以是曲线(非线性弹性),当进一步考虑弹塑性耦合现象时,相应的杨氏模量还应是塑性应变的函数,也即对线性弹性有 $E = E(\varepsilon^p)$,对非线性弹性有 $E = (\sigma, \varepsilon_p)$。

一般有

$$\{\sigma\} = \begin{bmatrix} \sigma_x & \sigma_y & \tau_{xy} \end{bmatrix}^T$$
$$\{\varepsilon\} = \begin{bmatrix} \varepsilon_x & \varepsilon_y & \gamma_{xy} \end{bmatrix}^T$$

弹塑性应力-应变本构关系可写成如下形式

$$\{d\sigma\} = ([D_e] - h(l)[D_p])\{d\varepsilon\} = [D_{ep}]\{d\varepsilon\}$$

其中,$h(l)$ 为加荷准则,$l>0$ 时加荷,此时 $h(l)=1$;$l\leqslant0$ 时卸荷,此时 $h(l)=0$。$[D_e]$ 为弹性矩阵,$[D_p]$ 为塑性矩阵,$[D_{ep}]$ 为弹塑性矩阵,对于平面应变问题有

$$[D_e] = \frac{E(1-\mu)}{(1+\mu)(1-2\mu)} \begin{bmatrix} 1 & \dfrac{\mu}{1-\mu} & 0 \\ \dfrac{\mu}{1-\mu} & 1 & 0 \\ 0 & 0 & \dfrac{1-2\mu}{2(1-\mu)} \end{bmatrix}$$

　　当不考虑岩土的应变硬化特性,将岩土的应变软化也简化成理想塑性的软化,塑性势函数采用了与屈服函数相关联的法则,即

$$\frac{\partial f}{\partial H} = 0, Q = f, h(l) = 1$$

$$[D_p] = \frac{[D_e]\left\{\frac{\partial f}{\partial \sigma}\right\}\left\{\frac{\partial f}{\partial \sigma}\right\}^{\mathrm{T}}[D_e]}{\left\{\frac{\partial f}{\partial \sigma}\right\}^{\mathrm{T}}[D_e]\left\{\frac{\partial f}{\partial \sigma}\right\}}$$

$$[D_{ep}] = [D_e] - [D_p]$$

式中　Q——塑性势函数;

　　　　H——硬化函数;

　　　　f——屈服函数。

　　屈服函数 f 采用了用应力张量不变量表达的 Mohr-Coulomb 屈服准则

$$f = \alpha I_1 + \sqrt{J_2} - K$$

式中　I_1、J_2——应力张量和应力偏量的第一和第二不变量;

　　　　α、K——常数。

　　在岩土力学分析中,一般采用了屈服面光滑,且通过大量实践,认为是较符合岩石材料的 Druck-Prager 准则,屈服函数 f 的系数 α、K 值如下

$$\alpha = \frac{\sin\varphi}{(9 + 3\sin^2\varphi)^{\frac{1}{2}}}$$

$$K = \frac{3C\cos\varphi}{(9 + 3\sin^2\varphi)^{\frac{1}{2}}}$$

式中　C、φ——岩石抗剪强度参数。

　　显然通过这样的简化后,描述岩土应力－应变全过程曲线所需的参数就大为减少,实际上它需要曲线上 B 点(峰值点)和 DE 段(残余值)的强度指标,计算模型则可简化为图 6-1(b)所示的曲线。

　　由以上推导可知,弹塑性矩阵是应力－应变状态的函数,而且其组成的单元刚度矩阵及总刚度矩阵亦是位移的函数,对于平面问题有

$$[K(u)]\{u\} = \{R\}$$

其中

$$[K(u)] = \iiint [B]^{\mathrm{T}}[D_{ep}][B]\mathrm{d}V$$

式中　$[B]$——单元应变矩阵。

　　非线性问题有限单元法分析的核心就是求解上述非线性代数方程组。

6.1.1.3　弹塑性应力－应变关系求解

　　弹塑性有限单元法分析求解非线性代数方程组的方法很多,常用的有增量切线刚度法、增量初应力法、增量初应变法等。本书采用增量初应力法。

　　首先考察具有已知初应力 $\{\sigma_0\}$ 的弹性系统,其总的应力为

$$\{\sigma\} = \{\sigma_e\} + \{\sigma_0\} \qquad (6-1)$$

利用虚功原理可导出如下形式的有限元基本方程

$$[K]\{U\} = \{P\} + \{\Delta P_0\} \qquad (6-2)$$

其中

$$\{\Delta P_0\} = -\sum \int_{oe} [B]^T\{\sigma_0\}\mathrm{d}V \qquad (6-3)$$

这里增加了考虑初应力效应的荷载修正项 $\{\Delta P_0\}$，积分是对单元体积，求和对所有单元。

弹塑性应变也可视为弹性应变与塑性应变两部分，其增量形式可表示为

$$\{\mathrm{d}\varepsilon\} = \{\mathrm{d}\varepsilon_e\} + \{\mathrm{d}\varepsilon_p\}$$

由弹塑性本构关系可得到应力增量为

$$\{\mathrm{d}\sigma\} = [D_{ep}]\{\mathrm{d}\varepsilon\} = ([D_e] - [D_p])\{\mathrm{d}\varepsilon\}$$

故有

$$\{\mathrm{d}\sigma\} = \{\mathrm{d}\sigma_e\} + \{\mathrm{d}\sigma_p\} \qquad (6-4)$$

比较式(6-1)和式(6-4)可以看出，这里的塑性增量 $\{\mathrm{d}\sigma_p\}$ 相当于弹性系统的初应力。由此可借助于方程式(6-2)，写出弹塑性问题的增量型基本方程

$$[K]\{DU_i\} = \{\mathrm{d}P_i\} + \{\mathrm{d}P'_i\} \qquad (6-5)$$

$$\{\mathrm{d}P'_i\} = \sum \int [B]^T\{\mathrm{d}\sigma_p\}\mathrm{d}V \qquad (6-6)$$

对于具有初应力的弹性系统，在式(6-3)中 $\{\sigma_0\}$ 为已知，故可直接求解方程式(6-2)。弹塑性分析中 $\{\mathrm{d}\sigma_p\}$ 是与加载历史及当前应力状态有关，亦即 $\{\mathrm{d}P'_i\}$ 也随位移而变化，故必须进行迭代求解。对于每一级增量 $\{\Delta P_i\}$，其迭代格式通常采用修正的 Newton 法。

初应力法解题可按以下程序来实现：

(1)把全部荷载划分成若干次增量，逐级对每一级增量按方程式(6-5)进行求解。对于处于弹性阶段的情况 $\{\Delta\sigma_p\}$ 为零，故有

$$\{\Delta P'_i\} = \{0\}$$

$$[K]\{\Delta U_i\} = \{\Delta P_i\}$$

(2)计算各单元的应力增量及当前应力

$$\{\Delta\varepsilon_i\}_j = [B]\{\Delta\sigma_i\}_j$$

$$\{\Delta\sigma_{ij}\} = [D]\{\Delta\varepsilon_i\}_j$$

$$\{\sigma_i\}_j = \{\sigma_i\}_{j-1} + \{\Delta\sigma_i\}_j$$

式中　下标 i——第 i 级荷载量；

　　　下标 j——第 j 次迭代。

(3)由各单元应力计算屈服函数 f，判别单元是否屈服及加卸载条件，对处于加载条件下的塑性单元，计算应力修正项并修正应力

$$\{\Delta\sigma_p\}_j = [D_p]\{\Delta\varepsilon_i\}_j$$

$$\{\sigma'_i\}_j = \{\sigma_i\}_j - \{\Delta\sigma_p\}_j$$

屈服函数 f 取决于采用的塑性模型，$[D_p]$ 为塑性矩阵。

(4)对塑性单元，由修正项 $\{\Delta\sigma_p\}_j$ 按式(6-6)计算等效节点力。对所有塑性单元的等效节点力按对应节点号叠加即构成总的修正荷载矢量

$$\{\Delta P'_i\}_j = \sum \int_{ve} [B]^\mathrm{T}\{\Delta\sigma_p\}_j \mathrm{d}V$$

(5)在修正荷载 $\{\Delta P'_i\}_j$ 的作用下进行下次的迭代运算。此时的基本方程为

$$[K]\{\Delta U_i\}_j = \{\Delta P'_i\}_j$$

重复进行步骤(2)～步骤(5)的计算直至所有塑性单元均收敛至要求的精度为止。

(6)重新施加下一级荷载增量 $\{\Delta P_{i+1}\}$，进行由步骤(1)～步骤(5)的运算，直至全部荷载量的计算完成为止。

在上述增量－迭代运算中，每一次计算后的系统位移，即为以前各次计算的累计，即有下式成立

$$\{U_i\}_j = \{U_i\}_{j-1} + \{\Delta U_i\}_j$$

上述初应力法的求解过程如图 6-2 所示。图 6-2(a)为荷载分级示意图，图 6-2(b)为增量内的迭代情况。收敛控制常以所有塑性单元满足屈服条件($f\leqslant0$)。这可以通过 $\Delta\sigma_p$ 小于给定的误差，或前后两次迭代的应力误差小于规定值来控制。

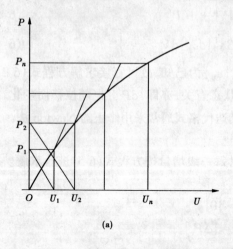
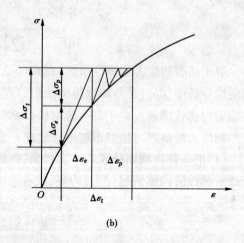

图 6-2　弹塑性分析增量－初应力法(周维垣，1990)

现以最常用的 Mohr-Coulomb 类型的屈服准则为例来说明一种根据单元应力偏离屈服面的程度决定收敛因子的方法。屈服准则为

$$\alpha I_1 + \sqrt{J_2} - K = 0$$

对于系数 α、K 取不同表达式即得到其各种修正形式。弹塑性分析中，每次迭代之后所有未收敛到屈服面上的单元，其应力均有 $f>0$，f 愈大其应力点超出屈服面愈远。对于这些单元有

$$\alpha I_1 + \sqrt{J_2} > K$$

令

$$A = K/(\alpha I_1 + \sqrt{J_2}) = K/(f + K)$$

则

$$\delta = 1 - A$$

δ 即收敛因子，δ 值愈大表明单元应力超出屈服面愈远，应力点恰在屈服面上时 $f = 0, A = 1, \delta = 0$。引入这一收敛因子，在每次迭代中塑性单元的应力及等效节点力可按下式计算

$$\{\sigma_i\}_j = \{\sigma_i\}_{j-1} + (1 + \delta)\{\Delta\sigma_{ep}\}$$

$$\{\Delta P_i\}_j = (1 + \delta)\int_v [B]^T\{\Delta\sigma_p\}dV$$

在增量求解时可能遇到部分单元在本次荷载增量之前处于弹性范围($f < 0$)，在本次荷载增量之时进入塑性范围($f > 0$)，这种过渡状态的单元，屈服点和应力对应于两次荷载量之间的某一值，该屈服点须以插值求得。

大多数岩体都可视为弹塑性介质，在一定应力水平下表现为线弹性，超过此限即表现为塑性。最简单且常用的是弹性－理想塑性模型。理想化的应力－应变曲线可如图 6-3(a)所示。在岩体力学中，最常用的是 Mohr-Coulomb 类型(包括各种修正的)屈服准则。这是因为对于岩石一类的材料，在塑性变形时具有明显的体积变形，因而必须考虑到体积应力的影响。但 Mohr-Coulomb 屈服面在 π 平面内为六角形，因而存在尖顶和棱角的奇点而影响数值解的收敛。其修正的 Drucker-Prager 准则在 π 平面内以其内切圆取代六角形从而消除了棱角。

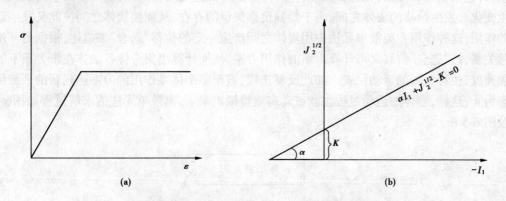

图 6-3　弹性理想塑性及 Drucker-Prager 屈服准则(周维垣,1990)

Mohr-Coulomb 准则及 Drucker-Prager 准则，在 $I_1 - \sqrt{J_2}$ 面内均为直线形，如图 6-3(b)所示。这一特点使 Mohr-Coulomb 准则及 Drucker-Prager 准则过分夸大了岩石的塑性体积膨胀以及在较高围压时的屈服限。为克服这一缺点以及进一步消除尖顶奇点，一些研究者建议采用二次曲面取代 Mohr-Coulomb 型的锥面，例如双曲面或抛物面。Zienkiewcz O. C. 等人曾提出一种适用于岩土力学的统一屈服面。即

$$f = \alpha\sigma_m^2 + \beta\sigma_m + \gamma + \left[\frac{\bar{\sigma}^2}{g(\theta)}\right] = 0$$

或
$$f = AI^2 + BI_1 + C + \left[\frac{J_2^{1/2}}{g(\theta)}\right] = 0$$

取不同系数(α、β、γ 或 A、B、C)值即可得到直线形或二次曲线形(双曲线、抛物线、椭圆)屈服面。$g(\theta)$是与岩石性质有关并确定 π 平面形状的函数,Zienkiewcz 建议通过 $\frac{dg(\theta)}{d\theta}=0$ 来修圆 Mohr-Coulomb 屈服面的棱角。

6.1.2　离散单元法分析原理

6.1.2.1　离散单元法的基本思路

离散单元法是求解块体集合体在外力作用下,块体间的相互作用以及运动过程的有效方法,这种方法与固体力学有限单元法有本质的区别。有限单元法主要研究介质的应力、应变特征,基于弹性力学的小变形假设,以虚功原理为理论基础而建立的;离散单元法则是在块体准刚性假设的前提下,以 Newton 第二运动定律为理论基础建立起来的,它研究的是块体的运动特征,并以微小运动状态的求解来准态模拟物体的宏观大变形,如地质体变形演化发展到后期阶段所具备的变形特征等。离散单元法的基本思想是将岩体视为由裂隙切割的非连续介质,块体间按照岩体的裂隙切割形成相互镶嵌排列,构成块体的集合体。当这一集合体作用有力系或其边界约束条件发生变化时,块体间就会产生相互作用力(包括重力和分力),从而导致块体产生一定的加速度及相应的位移,使其空间状态发生变化。发生位移的块体之间,由于差异位移矢量的存在,从而使块体之间彼此又发生新的作用,这种作用在离散单元法中用块体之间产生一定的位移"迭合"来描述,根据力－位移关系,按"迭合"位移又可计算出新的作用力系,从而计算出集合体各块体在新力系下的加速度、位移及新的运动位置。如此反复迭代、直至整个体系作用的力系达到新的平衡状态为止,这样,岩体的运动过程也就被真实地模拟出来了,离散单元法的求解过程如图6-4及图 6-5 所示。

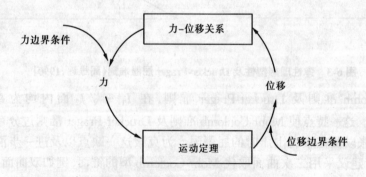

图 6-4　离散元计算循环(周维垣,1990)

离散单元法遵循以下的基本假定:
(1)计算中认为块体是理想刚性,各个块体在力系的作用下,只发生空间位置的平移

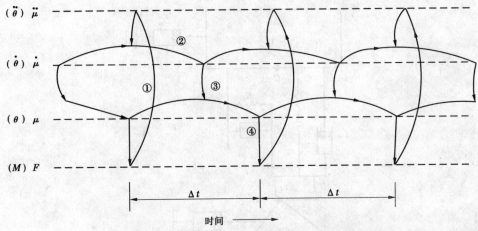

①、②、③、④—计算顺序；Δt—时间；F—力；μ—位移；$\dot{\mu}$—速度；
$\ddot{\mu}$—加速度；M—力矩；θ—转角；$\dot{\theta}$—角速度；$\ddot{\theta}$—角加速度

图 6-5　离散单元法中的交错计算顺序（潘别桐、黄润秋，1994）

和转动,而其本身的形状大小不变；

(2)所有块体单元间的接触简化为角-边接触的形式,块体间的边-边接触可分解为由两个角-边接触组成(图 6-6)；

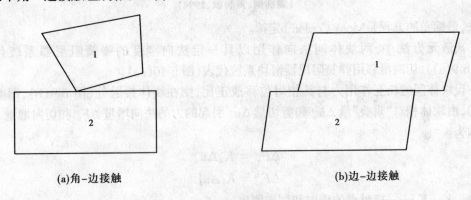

(a)角-边接触　　　　　　　　　　　　　(b)边-边接触

图 6-6　块体间接触假定（毛彦龙，1998）

(3)变形发生在块体的表面；

(4)接触点的法向接触力和切向接触力,分别由代表结构面法向(压缩)刚度和切向(剪切)刚度的元件 K_n、K_t 提供,与刚度有关的黏性阻尼元件 C_n、C_t 在接触点吸收块体单元相对动力的能量,与质量和速度有关的黏性阻尼元件 C_m 吸收块单元绝对运动的动能(图 6-7)；

(5)当块体在接触点发生切向滑移时,由 Mohr-Coulomb 元件 U 进行阻尼,并解除切向黏性阻尼元件 C_s,块体间无拉力。

下面给出离散单元法的计算程序框图,如图 6-8 所示。

6.1.2.2　接触本构关系——力-位移方程

表示块间接触点处的力-位移关系,不同的物理方程(本构关系)形成不同的离散单

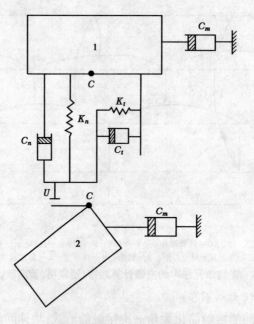

图 6-7　块体接触的力学模型

（潘别桐、黄润秋，1994）

元法，最简单的方程是Mohr-Coulomb定律。

离散元方法中，两块体间法向作用以具一定法向刚度的弹簧阻尼器系统代表（图 6-9(a)），切向滑移用弹簧阻尼器滑块系统代表（图 6-10(a)）。

设块体间的相互作用力与其相对位移成正比，则在块体接触处（图 6-9(b)、图 6-10(b)），由块体相对"重叠"量 Δu_n 和剪切量 Δu_t 引起的力的法向增量 ΔF_n 和切向增量 ΔF_t 分别为：

$$\Delta F_n = K_n \Delta u_n$$
$$\Delta F_t = K_t \Delta u_t$$

式中　K_n、K_t——接触点的法向和切向刚度。

设在时刻 $t + \Delta t$，法向及切向接触力分量为 $F_n(t + \Delta t)$ 和 $F_t(t + \Delta t)$，如果已知时刻 t 的接触力，则

$$F_n(t + \Delta t) = F_n(t) + \Delta F_n(t)$$
$$F_t(t + \Delta t) = F_t(t) + \Delta F_t(t)$$

由于块体间不允许有拉力出现，故

$$F_n > 0$$

当法向压力减为零时，节理张开，块体间发生分离，已有的接触被破坏，并将继续建立新的接触。

同样，对于剪切力亦有条件限制，其稳定状态由 Mohr-Coulomb 定律决定，即稳定状态为

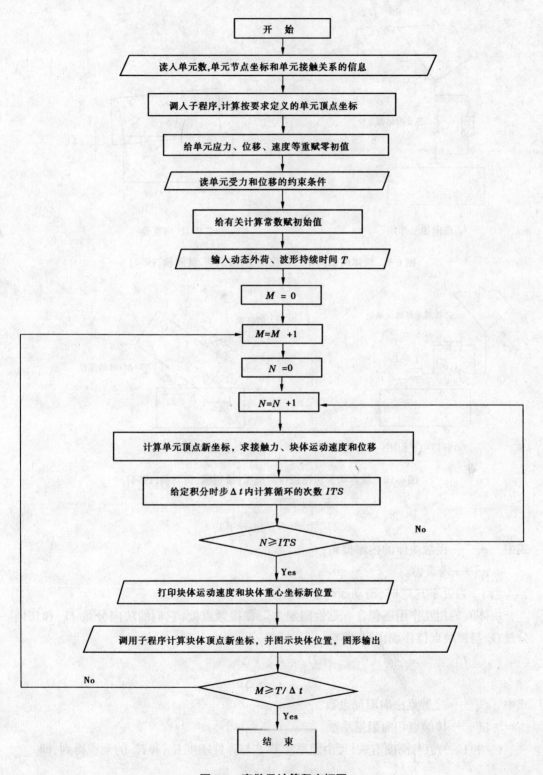

图 6-8　离散元计算程序框图

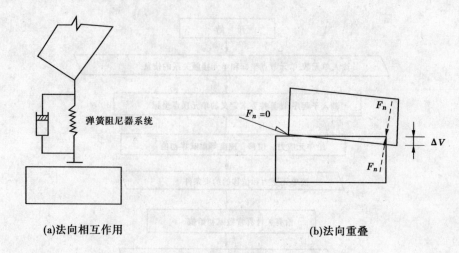

(a)法向相互作用　　　　　　　　(b)法向重叠

图6-9　块体间法向相互作用模型(潘别桐、黄润秋,1994)

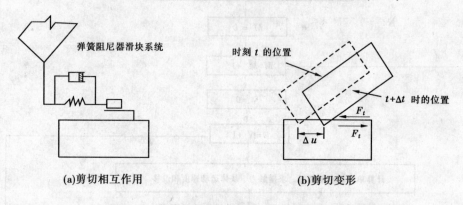

(a)剪切相互作用　　　　　　　　(b)剪切变形

图6-10　块体间剪切相互作用模型(潘别桐、黄润秋,1994)

$$F_t \leqslant F_t^{\max}$$
$$F_t^{\max} = F_n \tan\varphi_j + c_j$$

式中　φ_j——接触块体的内摩擦角;

　　　c_j——内聚力。

当 F_t 趋近于 $F_t^{\max}$ 时,滑动即趋于发生。

块体间的相互作用还包含有黏性阻尼力。在接触点处,它们的法向分量 D_n 和切向分量 D_t 与接触点位移成正比,即有

$$D_n = C_n \cdot \Delta u_n$$
$$D_t = C_t \cdot \Delta u_t$$

式中　C_n——接触点法向阻尼系数;

　　　C_t——接触点切向阻尼系数。

C_n 和 C_t 的值与刚度有关,可由阻尼参数 β 与弹性刚度 K_n 和 K_t 的乘积得到,即

$$C_n = \beta_n \cdot K_n$$
$$C_t = \beta_t \cdot K_t$$

设 a 为块体的接触边长度，b 为块体之间裂隙的宽度，E 为杨氏模量，G 为剪切模量。根据弹性理论，块体单元在接触点的法向刚度 K_n 和切向刚度 K_t 分别为

$$K_n = \frac{Ea}{2b}$$

$$K_t = \frac{Ga}{2b}$$

6.1.2.3　运动方程

每个块体的运动方式由作用在其上的不平衡力系及合力矩所决定，具体表现为块体平移和围绕其形心的转动。考虑一单个块体受到变化的力 F 的作用而产生运动，可用 Newton 第二运动定律方程描述，即

$$\frac{\partial \dot{u}}{\partial t} = F/m \tag{6-7}$$

式中　$\dot{u}$——速度，m/s；

　　　F——外力，kN；

　　　m——质量，kg。

式(6-7)的左边用中心差分格式，在时间 t 可表达为

$$\frac{\mathrm{d}\dot{u}}{\mathrm{d}t} = \frac{\dot{u}^{(t+\Delta t/2)} - \dot{u}^{(t-\Delta t/2)}}{\Delta t} \tag{6-8}$$

将式(6-8)代入式(6-7)中并整理得

$$\dot{u}^{(t+\Delta t/2)} = \dot{u}^{(t-\Delta t/2)} + (F^{(t)}/m) \cdot \Delta t \tag{6-9}$$

式(6-9)中半个时步点的速度又可以用位移的形式写出，即

$$u^{(t+\Delta t)} = u^{(t)} + \dot{u}^{(t+\Delta t/2)} \cdot \Delta t$$

由于力的产生依赖于位移，所以力－位移的计算在同一时步内同时进行。

块体在多个力及重力作用下，其速度方程为

$$u_i^{(t+\Delta t/2)} = u_i^{(t-\Delta t/2)} + \left[\left(\sum F^{(t)}/m\right) + g_i\right]\Delta t$$

$$\theta_i^{(t+\Delta t/2)} = \theta^{(t-\Delta t/2)} + \left[\sum M(t)/I\right] \cdot \Delta t$$

式中　θ——块体对于其形心的角速度；

　　　I——块体由于惯性产生的力矩；

　　　g_i——块体的重力加速度分量；

　　　u_i——块体形心的速度分量($i=x,y$)。

根据上两式得出新速度后，可以由下式确定出块体的新位置，即

$$X_i^{(t+\Delta t/2)} = X_i^{(t)} + \dot{u}_i^{(t+\Delta t/2)} \cdot \Delta t$$

$$\theta_i^{(t+\Delta t/2)} = \theta^{(t)} + \dot{\theta}_i^{(t+\Delta t/2)} \cdot \Delta t$$

式中　θ——块体绕其形心的转动量；

　　　X_i——块体形心的坐标分量($i=x,y$)。

这样每一个迭代过程中产生块体的新位置都导致产生新的接触力，而其合力与合力矩又产生线加速度和角加速度，对每个时步积分又可获得块体的速度和位移，这个循环过

程一直继续到获得平衡状态或破坏状态为止。

在前述的运动方程中没有包括使问题收敛于稳定解所需要的黏性阻尼，为此需要引入黏性阻尼，用其吸收动能，使系统收敛于稳定状态，否则系统将导致不定的振荡。

在离散单元法中应用了两种类型的黏性阻尼：质量阻尼和刚度阻尼。质量阻尼可以被认为是一系列的黏性阻尼器通过各个块体的形心将各个块体联结起来，阻尼器产生与块体速度相反，但与块体速度和质量成正比的力，减少块体的绝对运动，使其成为吸收块体动能的阻尼器。刚度阻尼实质上等效于通过接触阻止刚体间相对运动的阻尼器（图6-7）。包括了黏性阻尼之后的运动方程可改为

$$\frac{\partial \dot{u}}{\partial t} = F/m - \alpha \dot{u} + g \tag{6-10}$$

式中 α——阻尼常数。

将式(6-10)写为时间的差分形式

$$\frac{\dot{u}_i^{(t+\Delta t/2)} - \dot{u}_i^{(t-\Delta t/2)}}{\Delta t} = \frac{F}{m} - \alpha \cdot \frac{\dot{u}_i^{(t+\Delta t/2)} - \dot{u}_i^{(t-\Delta t/2)}}{2} + g$$

刚度阻尼分为切向刚度阻尼(D_t)和法向刚度阻尼(D_n)

$$D_t = \Delta u_1 \cdot K'_t$$
$$D_n = - \Delta u_n \cdot K'_n$$

其中

$$K'_t = \beta \cdot K_t$$
$$K'_n = \beta \cdot K_n$$
$$\beta = f_c / (2\pi \cdot f_y)$$

上列方程中的阻尼力是时刻 t 所确定的，并可改写为速度方程

$$\dot{u}_i^{(t+\Delta t/2)} = \frac{\dot{u}_i^{(t-\Delta t/2)}(1 - \alpha \cdot \Delta t/2) + (F/m + g) \cdot \Delta t}{1 + \alpha \cdot \Delta t/2}$$

对于转动，用同样方法施加阻尼，得到公式

$$\dot{\theta}_i^{(t+\Delta t/2)} = \frac{\dot{\theta}_i^{(t-\Delta t/2)}(1 - \alpha \cdot \Delta t/2) + m \cdot \Delta t/I}{1 + \alpha \cdot \Delta t/2}$$

其中

$$\alpha = 2f\lambda$$

式中 f、λ——系统的基频和临界阻尼系数。

实际中一般试算确定，寻求一个对于某一基频而言为近似临界阻尼值，使计算迅速收敛。稳定积分时间步长 Δt 是由具有质量 m 和刚度系数 k 的弹性系统的运动方程确定的。为使此差分方程获得稳定解，在选择尽可能大的时步前提下，尚须满足以下条件

$$\Delta t \leqslant 2\sqrt{m/k}$$

§6.2 滑坡侵蚀弹塑性有限元数值模拟

铜王公路 2 号滑坡位于铜川市北关，雷家河的左岸。铜王公路从 2 号滑坡体南边界

进入,向北到达 2 号滑坡体中部后拐弯再向南东方向后,再折向北东方向行进,在 2 号滑坡后部边界穿出。

本节采用铜王公路 2 号滑坡侵蚀实例,应用弹塑性有限元法对斜坡的初始应力场特征进行模拟研究,分析滑坡侵蚀形成的力学机制,对铜王公路 2 号滑坡侵蚀的变形破坏过程进行数值模拟分析,揭示斜坡破坏过程的动力学机理。数值模拟的基本思路(包括有限单元法与离散单元法)如图 6-11 所示。

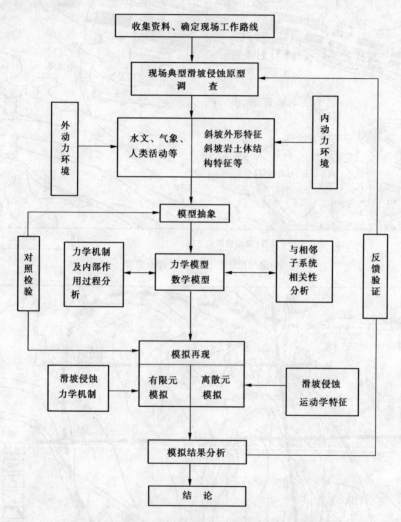

图 6-11 铜王公路 2 号滑坡侵蚀数值模拟的基本思路

6.2.1 地质模型

铜王公路 2 号滑坡位于铜川市北关、雷家河左岸的黄土梁斜坡地带,是铝厂古滑坡裙的一部分(图 6-12(a))。

铜王公路 2 号滑坡(图 6-12(b))呈不规则的圈椅状,后缘略宽而前缘略窄,滑坡长(东西)约610 m,前缘宽(南北)约510 m,后缘宽约590 m,总面积约335 500 m²。滑坡发育在黄土地层中,滑动面为二叠系泥页岩及其风化壳,滑动方向281°,倾角12°～15°。滑坡后缘高程928 m,前缘(雷家河河面)标高873 m,前后相对高差55 m。铜王公路2号滑坡是铝厂古滑坡的局部复活。

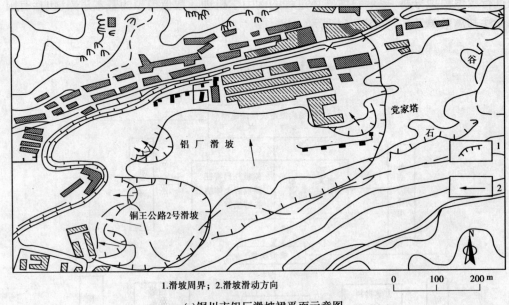

1.滑坡周界; 2.滑坡滑动方向

(a)铜川市铝厂滑坡裙平面示意图

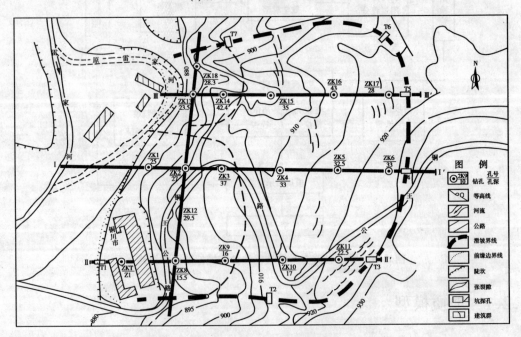

(b)铜王公路2号滑坡平面图

图6-12　铜王公路2号滑坡示意图

6.2.1.1　地貌特征

铝厂滑坡位于雷家沟沟口南侧山坡上,雷家河大拐弯处的东岸,地形由南向北、由东向西呈阶梯状递降。古滑坡处于山前斜坡地带,延展方向 320°,斜坡平均坡角 19°,其中坡体的后部属于黄土梁前的斜坡地带,前缘属于雷家河一级阶地。铝厂古滑坡前缘是雷家河,南侧是一较小的冲沟,后部是黄土梁的斜坡地貌,滑坡体地形起伏较大,陡坎纵横交错,显得零乱。由于古滑坡的多次滑动,形成了许多前张裂隙及不同程度的剪裂带,尤其在南缘后侧地段弧形裂缝密集发育,宽度一般3~4 cm;在滑坡中下部靠南侧的边缘地带,东西方向的剪切裂缝较发育,且沿此方向发育有较多的黄土落水洞,尤其下部地段北西方向及近南北方向的张裂缝发育,其宽度一般 1~3 cm,最宽达5 cm。由于大气降雨,张裂隙及剪裂带被雨水冲刷形成冲沟,本地冲沟很发育,由于冲沟的切割,将古滑坡分割成南(铜王公路 2 号滑坡)、中、北三个滑坡地段。滑坡形成的多级台阶呈条带状展布,滑体上面的电线杆、树木严重歪斜。

铜王公路 2 号滑坡位于铝厂古滑坡南西段的斜坡地带,主滑方向281°,该滑坡表面起伏不平,陡坎纵横交错,整体坡度较缓,在滑坡后缘发育有一反坡平台,宽 3~5 m,近南北向延伸。铜王公路 2 号滑坡的总体地形为东高西低,南高北低,呈阶状递降,陡坎呈新月状,前缘陡由于雷家河的侵蚀而变高变陡,坎高 6~8 m。滑坡体上有大大小小多条冲沟,北、中、南三个冲沟较大,冲沟切割强烈,冲沟延伸方向均为东西向,后缘是采石场陡崖。滑坡前缘鼓胀隆起明显,使前缘树木,电线杆倾斜。铜王公路 2 号滑坡体的前缘和铝厂老滑坡体的前缘重合,滑坡舌位于雷家河左岸的坡脚,人工切挖坡脚及填土使坡体前缘形成两道陡坎,高度 4~6 m,造成坡体前缘临空。在铜王公路 2 号滑坡滑体前缘发育两个小滑体。南侧边缘是一条小冲沟,冲沟中可见剪裂隙,后缘(东部)见高低错落的裂缝,裂缝走向南北,特别是两个小滑体后缘裂缝密集,最宽者达50 cm。坡体总地势是西北低东南高,滑坡前后缘高差55 m,坡体坡向与二叠系地层产状基本一致。

6.2.1.2　岩土组成

根据现场调查和钻孔资料分析可知,铜王公路 2 号滑坡区域地层结构的岩土组成从新到老如下(图 6-13):

(1)滑带土(Q_4^{del}):该滑坡的滑带是由二叠系泥页岩的风化壳组成,泥页岩的力学强度本来就很小,加上强风化状态,该层呈软泥状,力学性质极差,特别是遇水后力学强度明显减弱,厚约0.3 m。

(2)人工填土(Q_4^{me}):该层土体黄色、黄褐色,主要为煤矸石、煤渣、碎砖等,结构疏松,不均一,密实程度甚低,孔隙比大,为中高压缩性土,抗剪强度较小。厚一般为 5.0~8.0 m。

(3)砂质黏土(Q_2^{del}):原为马兰黄土,发生滑动的卫校滑坡均发生在中上更新统黄土之内,由于滑体的影响,土体结构一般较松散,故与原始土样品试验结果相比,物理力学指标存在一定差异,厚约15 m。

(4)粉质黏土(Q_4^{del}):原为离石黄土,由于滑体的影响,土体结构较松散,厚约10 m。

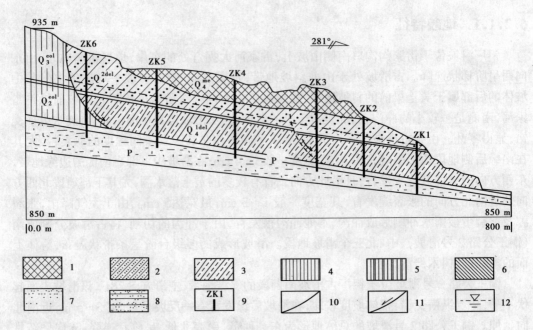

1.人工填土(Q_4^{me});2.砂质黏土(Q_4^{2del});3.粉质黏土(Q_4^{1del});4.马兰黄土(Q_3^{eol});5.离石黄土(Q_2^{eol});
6.古土壤;7.泥页岩(P);8.长石石英砂岩(P);9.钻孔;10.地层分界线;11.滑动面及滑动方向;12.地下水位

图 6-13 铜王公路 2 号滑坡地质模型

(5)马兰黄土(Q_3^{eol}):黄褐色,均质,结构疏松,可塑—软塑,其颗粒成分以粉粒(0.05~0.005 mm)为主,矿物成分主要为石英、长石,黏粒含量低,大孔隙、垂直节理发育,可见虫孔,含少量蜗牛壳和钙质结核,上部有植物根系,厚18 m。

(6)离石黄土(Q_2^{eol}):其颜色稍深于马兰黄土,呈深黄褐色,黏粒含量加大,结构较紧密,均质,含水量较低时坚硬,透水性较差,含有钙质结核层和数层古土壤,厚约12 m。古土壤棕红色,具白色钙质斑点或斑块,块状,大孔隙发育,可见针状,含钙质结核,厚1~3 m。

(7)二叠系泥页岩(P):泥页岩互层。页岩呈暗绿色、紫红色或黑灰色,薄层状构造,层理发育,中等或强风化,并呈碎屑状,厚为 1~2 m。泥岩呈褐红色、紫红色、灰色等杂色。本层力学性质极差,特别是遇水后力学强度明显减弱,二叠系顶部风化剥蚀的砂页岩,力学强度更差。其产状 340°∠9°~13°,为单斜地层。

(8)二叠系长石石英砂岩(P):泥页岩下部是硬度较大的白色、灰白色、灰绿色、棕红色砂岩,中细—粗粒结构块状构造,钙质胶结,中厚层,层理发育,矿物成分为长石、石英。铜川地区二叠系地层主要是石干峰组、石盒子组、山西组,其产状 340°∠9°~13°,为单斜地层。岩石试验资料表明,该砂岩力学指标偏低,吸水率偏大,软化系数偏小,特别是饱水情况下,岩石力学强度显著降低,但该岩体仍可归为坚硬岩石。

6.2.1.3 水文地质特征

雷家河两岸的黄土梁是本区地表水、地下水的分水岭,铜王公路 2 号滑坡位于雷家河左岸。滑坡滑体的表面,高低起伏,裂缝纵横,地表水极易下渗。地下水主要靠大气降水及地表水下渗补给,主要含水层为马兰黄土,隔水层为古土壤层,古土壤因结构较致密,隔水性能较好,在坡体上地下水主要是以上层滞水的形式存在,在部分地层中尚不能形成连续水位,仅形成软塑层,在铜王公路 2 号滑坡北侧小冲沟有泉水出露,流量不大,在斜坡中前部低洼地带有湿陷区。由于钻孔位置不同,各孔稳定水位埋深 2.25~12.0 m。当大气降水沿地表的各种裂隙入渗后,下渗水被二叠系顶部泥页岩阻挡形成向雷家河方向的径流,泥页岩遇水软化,抗剪强度急剧下降。地下水对滑坡滑动有如下几方面的作用:

(1)破坏地层结构,特别是削弱泥页岩的强度;

(2)增加浮托力;

(3)沿径流方向即滑动方向产生渗透压力。

6.2.1.4　铜王公路 2 号滑坡的诱发因素

铜王公路 2 号滑坡的发生是多种因素综合影响的结果,主要诱发因素有:

(1)人工活动,例如开挖坡脚、农田灌溉、滑坡后部采石放炮、铜王公路机动车辆的振动;

(2)大气降水入渗软化滑带土,地下水产生浮托力、渗透压力;

(3)地层结构,即黄土与二叠系泥页岩的不整合面上的风化壳的存在。

6.2.1.5　铜王公路 2 号滑坡的变形特征

雷家河左岸系一古老的滑坡裙,东边界在党家塔,西边界位于雷家河沟口,南边界止于雷家河左岸。虽经较长的地质时代,但滑坡轮廓仍清晰可辨,东部主要表现为基岩滑坡,雷家河沟口附近主要为黄土滑坡,而滑动面为古风化壳,即黄土与二叠系泥页岩的不整合面。从滑坡的最初产生及所经历的过程来看,滑坡有古新之分。从地貌形态上看,古滑坡在过去曾发生过多次滑动。根据现有的地表裂缝及微地貌特征,可以说明近年来古滑坡体局部已经复活,这些复活的滑坡体主要分布在斜坡的中前部,前缘地段的裂缝特征尤为明显,这些复活的滑坡造成了对滑坡表面建筑群的严重危害。据现场调查与钻孔资料,铜王公路 2 号滑坡滑体下部为离石黄土组成,而表层为马兰黄土,离石黄土中夹有黄绿色砂岩和紫红色泥岩碎屑,夹有钙质结核以及数层钙质结核层和古土壤,据此推断古滑坡形成时代大约在 Q_2、Q_3 之间。铜王公路 2 号新滑坡将所有地层错断,并将新建房屋推倒,新近仍有活动。新老滑坡共有一滑面即黄土与二叠系泥页岩的不整合面,故新滑坡是老滑坡的局部复活。

铜王公路 2 号滑坡的变形破坏明显,造成的损失很大。滑坡前缘商店被迫搬迁,油库被摧毁,办公楼局部被破坏,迫使雷家河改道,铜王公路废弃。1982、1983 年由于降水量丰沛,铜王公路 2 号滑坡活动加剧,剪出口东侧的护墙局部被推倒,商店的楼房出现细微的南北向裂缝,护墙及紫色泥岩顶端黄土滑出 5~6 cm。商店北侧油库被摧毁,黄土水平滑移 0.5~1.0 m,商店被迫废弃,直接损失达 30 多万元。油库北侧树木、高压线杆下滑并倾斜。雷家河河床原宽 6~8 m,由于滑坡前缘的移动使河床不足 2 m,河流堵塞,雷家河被迫改道。据此推测,滑坡复活以来,铜王公路 2 号滑坡的前舌主滑部位至少向前移动了3~6 m。滑体表面农田产生许多裂缝错断,形成多级陡坎,水浇地被迫改为旱田、铜王公路被迫废弃。根据铜王公路2号滑坡变形破坏特征判断铜王公路2号滑坡为牵引式滑坡。铜王公路2号滑坡所在的斜坡由于雷家河的冲刷侵蚀使前缘变高变陡,坡体上雨水入渗、农业灌溉抬高地下水位,导致前部土体的崩塌与剥落并逐步牵引着后面的土体沿软弱结构面发生滑移,并在坡体上形成拉张裂隙,裂隙又成为后面坡体的临空面,使之向下滑动,前部牵引后部,从而发生整体移动。

6.2.1.6　铜王公路2号滑坡复活的原因

铜王公路2号滑坡复活的原因包括内部因素和外部因素。

6.2.1.6.1　内部因素

(1)铜王公路2号滑坡的滑体均由第四纪黄土地层构成,黄土相对于其他地层来说,结构疏松易碎,垂直节理发育,直立性强形成坡角很大的陡崖,发育有较好的孔隙裂隙以及多层古土壤层,对卸荷裂隙的产生比较有利,这些裂隙为雨水的渗入及拉张剪滑提供了有利的条件。

(2)第四纪中更新世以后,受地壳上升隆起的新构造运动的影响,使黄土塬受到强烈的侵蚀,最终导致梁、峁、冲沟的发育,铜王公路2号滑坡由于冲沟的切割与古滑坡裙分离,使铜王公路2号滑坡的滑移方式、方向与老滑坡不同。

(3)从地层结构来看,铜王公路2号滑坡的地层结构属于巨厚黄土与其下伏基岩组成的双重结构,基岩以二叠系的泥页岩、砂岩互层组成,最顶层泥页岩表面强烈风化,构成古剥蚀面,基岩古剥蚀面结构疏松,遇水泥化,形成黏塑性极强的滑动面,古剥蚀面的存在为滑坡滑面的生成提供了物质基础。

(4)在构造上,本区岩层为单倾地层,岩层倾向与斜坡的倾向一致,这就为滑坡的产生提供了有利的条件。

6.2.1.6.2　外部因素

(1)雷家河的强烈侧蚀和下切是造成铜王公路2号滑坡的外部主导因素,河水不断地冲刷侧蚀,使得斜坡坡脚的前缘变陡,为斜坡的破坏提供动力基础和临空条件。

(2)大气降水及坡体上农田浇水是滑坡产生的激发因素。1979年以来,铜川市的降雨量年年增加,6~9月的降雨量是前28年的平均值,1982、1983年达到最高峰,降雨量的增加及集中,农民长期在坡上放水浇地,导致雨水及地表水大量入渗,使黄土饱和并增加了坡体的自重下滑力,同时抬高水位,使滑面上的孔隙水压力增加,使下滑力大于阻滑力,斜坡产生移动。

(3)人类活动对滑坡的影响。20世纪70年代末期,铜王公路开始运营,使坡体动荷载增加。滑坡前缘建筑物的修建切削坡体前部以及工业垃圾的加载等,都加剧了滑坡滑移。

6.2.2　计算模型的建立及计算参数的选取

根据前述的地质模型,将铜王公路2号滑坡Ⅰ—Ⅰ′剖面(图6-12(b))概化并离散成如图 A-1(附录 A,下同)所示的计算模型,程序计算框图如图 6-14 所示。

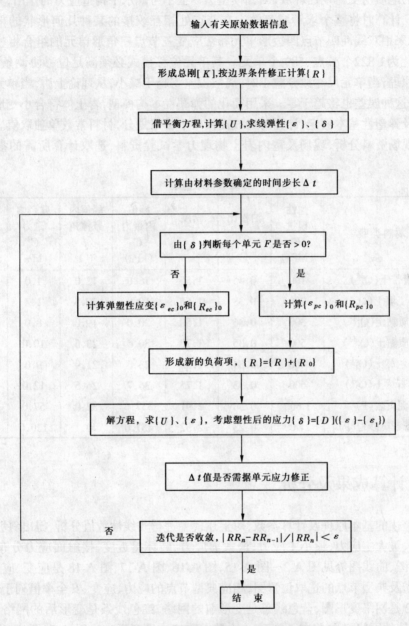

图 6-14　弹塑性有限元分析程序框图

　　为能真实地模拟坡体的受力状态,同时考虑计算机性能的限制,计算范围的选取按以下原则进行:在主滑方向的剖面上,模型的东边界取至滑体后缘往上 60 m 处,即 935.0 m 高程处,为一截离边界,水平方向设为零点,此为 x 方向约束边界;模型的西边界取全雷家河河中心,为另一截离边界,即 863.6 m 高程,水平方向 800.0 m 处,为另一 x 方向约束边界;下部取 850.0 m 高程为计算底界,加 y 方向约束。以 850.0 m 做水平线,以水平方向零点与 800.0 m 做垂直线,水平线与垂直线相交的范围作为本次计算范围。

　　由于斜坡的变形与破坏主要发生于坡体的表部,乃至一定深度范围内的坡体,构造应力在过去的地质历史时期已释放,因此模型边界上不考虑水平构造应力的作用,只考虑重力的影响。计算时将整个求解域离散为在节点处相互绞接的某种几何形状的单元集合体,本计算采用双线性四节点四边形单元和常应变三节点三角形单元的组合将整个计算模型离散化为1 822个节点、589 个单元。其单元位移模式必须满足位移协调条件,根据分割近似原理,当单元尺寸愈分愈小时,离散误差将趋于减小,从理论上讲,当单元尺寸接近于零时,这种误差也将趋于零。采用简化的弹塑性本构模型,岩土体符合小变形情况下的线弹性及弹塑性基本假定,计算时滑坡面按一个带来划分,材料常数单独取值。

　　根据现场资料分析,现场及室内岩土物理力学试验资料,选取计算所需的参数列于表 6-1。

表 6-1　　　　　　　　　　　　　计算参数取值表

序号	材料类型	弹性模量 E (MPa)	泊松比 μ	密度 ρ (kg/m^3)	峰值内聚力 C (kPa)	峰值内摩擦角 φ (°)	残余内聚力 C' (kPa)	残余内摩擦角 φ' (°)
1	滑带土(Q_4^{del})	100	0.45	1.55	16.0	12.0	1.0	8.0
2	人工填土(Q_4^{me})	200	0.38	1.65	19.0	20.6	1.2	16.0
3	砂质黏土(Q_4^{2del})	300	0.36	1.50	20.0	19.0	8.0	15.0
4	粉质黏土(Q_4^{1del})	500	0.35	1.70	30.0	23.5	10.0	17.0
5	马兰黄土(Q_4^{eol})	400	0.34	1.53	23.0	21.9	9.0	17.0
6	离石黄土(Q_2^{eol})	600	0.33	1.75	36.7	26.5	12.0	18.0
7	泥页岩(P)	1 600	0.30	1.91	357.0	32.0	57.0	22.0
8	长石石英砂岩(P)	2 900	0.23	2.32	437.0	40.1	120.0	30.0

6.2.3　计算成果及分析

　　采用上述的基本原理及计算参数,对上述模型进行非线性数值分析,得出斜坡网络变形、主应变、最大主应力、最小主应力、最大剪应力、破坏接近度、接触面应力分布的色谱图、等值线图、曲线图等见图 A-2～图 A-15,图 A-16、图 A-17、图 A-18 是应变、应力、安全率节点分布及典型节点的选取位置图,相应典型节点的应力、应变、安全率值列于表 6-2。

　　图 A-2 是网络变形图,蓝色线条是变形前的网络,红色线条是变形后的网络,可以看到,代表滑体的网络已向前向下滑动。从最大主应力图(图 A-4、图 A-5、图 A-6)可以看出,在不同的部位出现了主应力的集中现象,滑体前缘与后缘的坡面上分别有两个正应力集中区,最高达3.19 MPa,同样在滑坡滑动面上有两个负应力集中区,达到 -4.61 MPa。解读最小主应力图(图 A-7、图 A-8、图 A-9)可以知道,在前缘与后缘的滑坡面上,有两个负应力集中区,应力高达 -6.11 MPa。观察最大剪应力图(图 A-10、图 A-11、图 A-12)可以看出,滑面上形成了剪应力的集中,剪应力集中中心应力高达2.06 MPa,比同深度的其他部位升高近 1.8 MPa。图 A-13、图 A-14 是安全率图,有五个最小值集中区,它们是滑坡滑动面上的后缘、前缘及中部,坡体表面的前部与后部,这五个点与平面应变图(图 A-3)一致,坡体表面有两个拉伸破坏区,滑坡滑动面上有三个压缩破坏区。图 A-15 是滑坡面上应力分布曲线,最高值达到了 -6.857 MPa,应力集中明显,比同深度的滑床上升高近 6.00 MPa。图 A-16、图 A-17、图 A-18、表 6-2 中,典型节点成对的选在滑动面上下,点 1、3、5、7 选在滑床上,点 2、4、6、8 选在滑体上,τ_{max}、σ_1、σ_3 滑体比滑床上增高 0.50~3.50 MPa,u_x、u_y 普遍增大 3.0 m 以上。滑体上 2、4、6、8 四个点中 2、6、8 三个点的安全率小于或等于 1,为 0.350~1.031;第 4 点的安全率大于 1,为 1.570;对应的滑床上(第 3 点)安全率远大于 1,为 7.812。这里有意思的是滑体上第 4 点的安全率大于 1,这说明滑坡中部有一个锁固段,一旦前部小滑坡滑动,大滑坡中部临空后,大滑坡才会产生进一步的滑动,这和现场的观察资料相一致。总之,该滑坡的有限元计算结果说明铜王公路 2 号滑坡处于非稳定状态。

表 6-2　　　　　　　　　　　　　典型节点的应力、应变、安全率值

序号	水平距离 (m)	标高 (m)	τ_{max} (MPa)	σ_1 (MPa)	σ_3 (MPa)	u_x (m)	u_y (m)	安全率
1	796.9	863.6	-0.008	-0.022	-1.687	0.00	-0.010	4.630
2	730.7	870.8	-0.025	0.075	0.005	3.981	-1.678	0.350
3	529.1	870.5	0.178	-0.233	-1.197	0.000	-0.001	7.812
4	538.9	876.3	-0.248	-0.589	-1.086	3.982	-1.638	1.570
5	179.6	887.2	-0.484	-0.693	-1.772	0.000	-0.003	7.633
6	204.4	891.9	0.197	-1.710	-3.974	3.986	-1.641	1.031
7	51.9	929.2	0.080	-0.011	-0.173	0.000	-0.006	3.011
8	77.7	926.8	0.002	0.070	-0.031	3.962	-1.715	0.350

§6.3　滑坡体运动的离散元分析

斜坡的失稳破坏后的过程是一个运动学问题,对这一过程的模拟是采用离散单元法来进行的,这种方法用来模拟离散体介质的运动过程是非常有效的。

6.3.1　模型及参数

地质模型仍用铜王公路 2 号滑坡(图 6-12),用离散元来模拟铜王公路 2 号滑坡破坏后的运动过程,离散单元法单元的划分根据节理的自然切割状况确定。因此,对铜王公路 2 号滑坡,可以根据黄土中实际最为发育的垂直节理面以及层面来划分单元及建立计算模型,如图 B-1(附录 B,下同)所示。滑坡体被这两组结构面分割成 297 个单元。滑体以下的滑床基岩部分作为固定单元处理,整个计算过程中不发生位移。

计算所需参数主要是节理和层面的力学特性指标,选取时主要考虑试验成果资料,但在计算过程中还要进行适当的调整,使得计算成果更符合实际情况,调整参数对宏观机理

的模拟是必须的。铜王公路 2 号滑坡的两组节理面参数值选取如表 6-3 所示。

表 6-3　　　　　　　　　　　　节理面参数值选取表

参　　　数	取　　值
接触摩擦系数	0.25
接触法向刚度(MPa/m)	600
接触切向刚度(MPa/m)	50
节理摩擦系数(30°)	0.58
节理法向刚度(MPa/m)	1 900
节理切向刚度(MPa/m)	190
节理内聚力	0
滑坡体密度(kg/m³)	1.75
滑带土密度(kg/m³)	1.55
滑床密度(kg/m³)	2.32

6.3.2　模拟成果及分析

　　根据 6.3.1 节建立的数学模型,对铜王公路 2 号滑坡从启动破坏阶段、剧动加速阶段、高速运动阶段、碰撞减速阶段及停滞缓动阶段进行了全过程的离散元数值模拟。模拟全过程共用了1102115个时间单位,理论上每个时间单位 0.87×10^{-5} s,整个迭代过程理论历时95.88 s,模拟结果如图 B-1～图 B-31(附录 B)所示,这一系列图件很直观地再现了铜王公路 2 号滑坡运动的全过程。根据计算结果,整理出不同时刻滑坡体后缘、中部、前缘运动的运动轨迹、运动距离(线位移)、转角、合力、合力矩、形心位移、形心速度、速度、加速度等特征列于表 6-4、表 6-5 及图 B-32～图 B-49 之中。

表 6-4　　　　　　滑坡各演化阶段平均速度、平均加速度成果表

滑坡演化阶段	历时 (s)	时步 (步)	平均速度 (m/s)	平均加速度 (m/s²)	图号
启动破坏阶段	0.00～0.44	0～7000	0.394	0.730	图 B-2～图 B-5
剧动加速阶段	0.44～6.09	7001～70000	1.431	1.842	图 B-6～图 B-10
高速运动阶段	6.09～26.10	70001～300000	1.641	1.159	图 B-11～图 B-18
碰撞减速阶段	26.10～39.15	300001～450000	0.491	0.637	图 B-19～图 B-22
停滞缓动阶段	39.15～95.88	450001～1102115	0.028 6	0.133 5	图 B-23～图 B-31

表6-5　　　　　　　　　　　　　　　　离散元计算成果表

图号	时步（步）	时间（s）	后缘运动距离（m）		中部运动距离（m）		前缘运动距离（m）		时段末最大速度（m/s）	时段末最大加速度（m/s²）	滑坡侵蚀演化阶段
			X	Y	X	Y	X	Y			
图B-2	1000	0.09	0	0	0	0	5	−2	0.327	0.972	启动破坏阶段
图B-3	3000	0.26	0	0	0	0	13	−5	0.370	0.792	
图B-4	5000	0.35	0	0	16	−3	26	−10	0.299	0.709	
图B-5	7000	0.44	12	−5	32	−6	39	−15	0.578	0.446	
图B-6	10000	0.87	25	−10	48	−9	52	−20	0.911	1.645	剧动加速阶段
图B-7	20000	1.74	37	−15	55	−12	65	−25	1.994	3.844	
图B-8	30000	2.61	50	−20	80	−15	80	−30	3.883	4.183	
图B-9	50000	4.35	120	−40	140	−25	140	−40	1.990	1.702	
图B-10	70000	6.09	140	−55	180	−40	200	−40	1.842	1.518	
图B-11	100000	8.70	170	−65	240	−50	260	−40	1.685	0.892	高速运动阶段
图B-12	125000	10.88	200	−70	280	−60	320	−40	1.723	1.138	
图B-13	150000	13.05	250	−80	340	−80	360	−40	1.630	0.957	
图B-14	175000	15.23	290	−90	400	−90	410	−40	1.666	0.835	
图B-15	200000	17.40	350	−110	460	−100	490	−40	2.059	1.129	
图B-16	230000	20.01	400	−130	540	−120	540	−40	1.559	0.775	
图B-17	260000	22.62	460	−140	580	−120	600	−40	1.516	0.963	
图B-18	300000	26.10	520	−155	660	−120	650	−10	1.287	0.981	
图B-19	330000	28.71	540	−160	690	−120	660	15	0.729	0.592	碰撞减速阶段
图B-20	360000	31.32	550	−165	700	−120	680	20	0.608	0.749	
图B-21	400000	34.80	560	−180	730	−120	680	20	0.275	0.787	
图B-22	450000	39.15	600	−180	740	−120	680	20	0.351	0.419	
图B-23	500000	43.50	600	−180	740	−120	680	20	0.061	0.303	
图B-24	510000	44.37	600	−180	740	−120	680	20	0.046	0.297	
图B-25	600000	52.20	600	−180	740	−120	680	20	0.022	0.106	停滞缓动阶段
图B-26	700000	60.90	600	−180	740	−120	680	20	0.029	0.130	
图B-27	800000	69.60	600	−180	740	−120	680	20	0.067	0.166	
图B-28	900000	78.30	600	−180	740	−120	680	20	0.015 9	0.106	
图B-29	1000000	87.00	600	−180	740	−120	680	20	0.015 6	0.092	
图B-30	1100000	95.70	600	−180	740	−120	680	20	0.000 57	0.001 3	
图B-31	1102115	95.88	600	−180	740	−120	680	20	0.000 26	0.000 2	

根据计算结果，可将铜王公路 2 号滑坡的运动过程划分成 5 个阶段。

6.3.2.1　第一阶段

0～7000时步，历时0.00～0.44 s，启动破坏阶段。在滑体重力的作用下，滑体沿着中前部的泥岩夹层产生蠕变，使应力不断在锁固段集中，导致锁固段渐近性破坏，锁固段越来越短，滑坡中前部开始移动，拖动滑坡中后部滑移，滑面迅速向中后部扩大，最终使得滑面贯通破坏，滑体整体向下、向前开始移动。该时段平均速度0.394 m/s，平均加速度0.730 m/s^2，加速度较大，速度较小，说明滑坡正在启动阶段。

6.3.2.2　第二阶段

7001～70000 时步，历时 0.44～6.09 s，剧动加速阶段。由于滑动面的突然贯通，锁固段变形中储存的弹性应变能的释放产生的加速效应十分巨大，滑体获得一个很大的加速度，达到了加速度最高峰，达4.183 m/s^2，产生了剧动加速现象，滑速也达到了最高点3.883 m/s，加速度的平均值也达到了各阶段的最高，达1.842 m/s^2，加速度大，速度小。这一阶段的合力、合力矩相应也很大。

6.3.2.3　第三阶段

70001～300000 时步，历时 6.09～26.10 s，高速运动阶段。在剧动高速的基础上，由于势动能的不断转化及应力的影响效应，高速引起的滑床面上气垫效应，使得滑动面上摩擦阻力显著降低，滑体以高速向前向下运动，平均速度达到1.641 m/s，而平均加速度仅有1.159 m/s^2，加速度较小，速度较大。这一阶段的合力、合力矩反而很小。

6.3.2.4　第四阶段

300001～450000 时步，历时 26.10～39.15 s，碰撞减速阶段。滑体高速运动过河谷，到达对岸山体时，滑坡前缘碰撞到对岸的山坡而停止，速度迅速减弱，但在这一阶段初期速度还是较大，加速度较小，由于滑体巨大的冲力，使后部滑体向前部压密，各个滑块速度从前部向后部逐渐变小。由于减速需要能量的消耗，这一阶段的合力、合力矩反而变得很大。

6.3.2.5　第五阶段

450001～1102115 时步，历时 39.15～95.88 s，停滞缓动阶段。滑体由于能量的逐渐消耗，加之滑坡前部撞在了山体上，加速度虽然较大，但速度还是越来越小，中前部滑体基本上处于停滞状态，只有后部滑体还在运动，同时滑体在自重作用下产生压密作用，当滑坡能量消耗殆尽时，滑坡体停止运动。这一阶段的合力、合力矩基本接近于零。

第 7 章 滑坡侵蚀定量评价模型及应用

§7.1 滑坡侵蚀定量评价模型

本研究用信息量数学模型建立滑坡侵蚀定量评价模型。

信息量计算法在数学上属于单变量统计分析的方法。由前苏联维索科奥斯特罗夫斯卡娅(Високоостровская Е.ъ.,1968)及恰金(Чакин И.И.,1969)先后应用该方法于区域找矿,其基本步骤分两步。第一步计算各地质因素所提供的找矿信息,定量地评价各因素对指导找矿的作用,借以选择与矿化关系密切的变量;第二步计算每个单元中各因素信息量的总和,其大小反映了该单元相对的找矿意义,用以评价找矿远景区。

参考找矿方法,用信息量方法建立滑坡侵蚀定量评价模型的基本步骤为:第一步分析滑坡侵蚀的形成条件、促滑因素、触发因素等,罗列影响滑坡侵蚀形成的内部条件与外部条件因子,计算各因子所提供的滑坡侵蚀发生的信息量,定量评价各因子对滑坡侵蚀的贡献,筛选与滑坡侵蚀关系密切的主要变量用于建立滑坡侵蚀定量评价模型;第二步将研究区进行区段划分,计算每一区段各因子信息量的总和,其大小反映了各区段滑坡侵蚀的强烈程度,各区段的集合即为整个研究区的滑坡侵蚀强烈程度——滑坡侵蚀定量评价模型。

7.1.1 主要因子确定及因子状态划分

主要因子的确定及合理划分因子的状态是非常重要的,根据本区滑坡侵蚀形成条件的研究,确定与滑坡侵蚀形成有关系的各种因子,然后筛选与滑坡侵蚀关系密切的主要因子。因子的性质一般有两种:一种为状态离散性的因子,如岩性因子、地层结构因子、人类活动强度、地下水出露因子等,这类因子各状态间没有明显的内在联系,划分状态时主要考虑有关滑坡侵蚀形成的理论,划分比较简单;另一种为连续状态的因子,如坡高、坡角等,划分时不能只考虑数量级的大小,关键是确定因子与滑坡侵蚀产生联系的分界点,状态划分的合理与否,对提供固有的滑坡侵蚀信息影响很大,好的状态划分使不同状态信息的差距足够大,且信息量的不同状态呈规律性递减或递增,这种规律要能最大表征滑坡侵蚀的意义。因而,因子状态的划分需要多方案的比较和筛选,紧密结合滑坡侵蚀研究进行,以便最终方案能客观地反映区域滑坡侵蚀规律。

7.1.2 因子信息量计算

某种因子对滑坡侵蚀的作用,可通过对这些因子所提供滑坡侵蚀信息量的计算来评价,即用信息的大小来评价因子与滑坡侵蚀关系的密切程度,信息用条件概率计算

$$I(X_i, S) = \lg \frac{P(S \mid X_i)}{P(S)} \tag{7-1}$$

式中　$I(X_i, S)$——X 因子 i 状态提供滑坡侵蚀 S 发生的信息;

　　　$P(S \mid X_i)$——X 因子 i 状态存在条件下,滑坡侵蚀 S 实现的概率;

　　　$P(S)$——滑坡侵蚀 S 发生的概率。

实际应用时,因 $P(S)$ 在工作初期不易估计,根据概率乘法定理,式(7-1)可变为

$$I(X_i, S) = \lg \frac{P(X_i \mid S)}{P(X_i)} \tag{7-2}$$

式中　$P(X_i \mid S)$——滑坡侵蚀 S 发生的条件下出现 X_i 的概率;

　　　$P(X_i)$——研究区中因子 X_i 出现的概率。

具体运算时,总体概率用样本频率来估计

$$I(X_i, S) = \lg \frac{P(X_i \mid S)}{P(X_i)} = \lg \frac{N_i/N}{M_i/M} \tag{7-3}$$

式中　$I(X_i, S)$——X 因子 i 状态指示滑坡侵蚀 S 的信息量;

　　　N_i——具有因子值 X_i 的滑坡侵蚀单元数;

　　　N——研究区中滑坡侵蚀单元总数;

　　　M_i——有因子 X_i 的单元数;

　　　M——研究区单元总数。

分析式(7-3)可知,若 $P(X_i \mid S) = P(X_i)$,则 $I(X_i, S) = 0$,这表示因子 X_i 不提供任何滑坡侵蚀信息,即因子 X_i 的存在与否对滑坡侵蚀无影响。若 $P(X_i \mid S) < P(X_i)$,则 $I(X_i, S) < 0$,这表示在因子 X_i 存在条件下对滑坡侵蚀更为不利,即因子 X_i 的存在反而不利于滑坡侵蚀的发生。若 $P(X_i \mid S) > P(X_i)$,则 $I(X_i, S) > 0$,表示因子 X_i 能提供滑坡侵蚀信息,且 $I(X_i, S)$ 越大,提供的滑坡侵蚀信息越多,即因子 X_i 越大越有利于滑坡侵蚀的发生。

7.1.3　计算各单元的信息总量

各单元信息量总和可直接反映各单元对滑坡侵蚀的贡献大小,能客观地反映该单元因子对滑坡侵蚀的有利程度。若影响滑坡侵蚀的因子有 n 个,则这些因子综合作用下提供本单元内滑坡侵蚀发生的总信息量为

$$I = \sum_{j=1}^{n} I(X_i, S) = \sum_{j=1}^{n} \lg \frac{N_i/N}{M_i/M} \tag{7-4}$$

7.1.4　确定信息临界值

滑坡侵蚀信息临界值的确定方法较多,主要有以下 4 种:

(1)类比法。根据对研究区内已知滑坡侵蚀信息大小的对比,把已知滑坡侵蚀信息由大到小排序并给出一定可靠系数,确定临界值。

(2)单元频数曲线法。以横坐标为信息量,纵坐标为单元频数,作信息的单元频数曲线并找出拐点,拐点的横坐标即为临界值。

(3)计算概率法。先利用 a、b 确定临界值的方法确定临界值并设为 1,即单元信息和≥1 为滑坡侵蚀发生区。以≥1 为分界线进行统计,确定单元信息≥1 的总数,单元信息≥1 的总数中已知有滑坡侵蚀单元和无滑坡侵蚀单元。则已知有滑坡侵蚀单元除以单元信息≥1 的总数的百分数必然远大于已知无滑坡侵蚀单元除以单元信息≥1 的总数的百分数。另外,在信息量<1 的单元中,存在已知有滑坡侵蚀单元,这时,已知有滑坡侵蚀单元除以单元信息量<1 的总数的百分数将非常小。这意味着在信息量≥1 的单元中,存在滑坡侵蚀的概率很大,而在信息量<1 的单元中存在滑坡侵蚀的概率很小。

(4)信息量等值线法。将各单元的信息量总和投影于各单元中心,绘制信息量等值线图,然后将已知滑坡侵蚀投影于等值线图上,划分滑坡侵蚀的强烈程度。

§7.2　滑坡侵蚀定量评价模型应用

铜川市位于黄土高原南缘,是陕西省重要工业生产基地,是滑坡的集中区之一。在本次工作区 82.50 km² 的范围内,据前人资料和本次现场调查,共有新老滑坡 127 个(其中老滑坡 43 个、新滑坡 84 个),占 28.2%,崩塌 272 处,占 60.3%,滑塌 52 个,占 11.5%。近年来,由于煤炭资源的不断开采及人为活动的影响,生态环境日益恶化,加上本区气候多大雨、暴雨,致使滑坡侵蚀、崩塌侵蚀经常发生,水土流失日益严重。为配合铜川市的综合治理,特进行滑坡侵蚀定量评价。

7.2.1　铜川市滑坡侵蚀形成环境

铜川市位于陕北黄土高原南缘的漆水河狭谷之中,河谷发育,冲沟密布,特定的生态环境及强烈的人类经济活动使斜坡破坏十分严重。为了合理地保护市区斜坡环境,防治水土流失,促进铜川市的发展,通过现场的重点区段及典型滑坡调查,结合前人资料,对铜川市滑坡侵蚀规律进行了初步的研究,并以此为基础进行铜川市滑坡侵蚀定量评价。

7.2.1.1　自然地理

铜川市位于陕西省中部,属省直辖市,距西安市 92 km,位于东经 109°00′~109°15′,北纬 34°50′~35°10′。铜川地区面积 85 km²,人口约 46 万,交通发达。市区位于漆水河狭谷,两侧斜坡高陡。漆水河与支流王家河呈"Y"字形水系流经市区,城市依山傍水,总地势由北西向南东方向递降,两侧为黄土残塬、梁峁。本区最大高程 1 051 m,最小高程 680 m,塬面与河道高差 100~160 m。

区内主要河流有漆水河及其支流工家河、雷家河、史家河等。漆水河全长 63.5 km,铜川市区长 21.5 km,雨季最大流量 18 223.2 m³/h。区内其他河流旱季经常断流,主要河水流量见表 7-1。

河流名称	漆水河	史家河	王家河	小河沟
流量	1 393～1 179	476.3～380.8	130～150	40.26

表 7-1　　　　　　　　　　　　　铜川市主要河流流量　　　　　　　　　　(单位:m³/h)

　　铜川市气候属北温带半湿润区,半干旱大陆性季风气候,夏季炎热多雨,降雨量较大,年内降水不均匀,冬季盛行偏北风,春秋两季属季风交替季节,天气冷晴干燥。水热条件的时空变化较大,多年平均气温 10.6 ℃,极端最高温度 37.7 ℃,极端最低温度−18.2 ℃。多年平均降水量 588 mm,最大年降水量 889.3 mm,最小年降水量 354 mm,每年的 7、8、9 月为雨季。多年平均湿度 64%,多年平均蒸发量在 1 400～1 500 mm。主导风向东北风,多年平均风速2.6 m/s,最大风速28 m/s。

　　铜川市自然资源丰富,是陕西省重要的煤炭、建材工业基地。主要矿产有煤、水泥、黏土、灰岩等,还有铁、铝土矿、电石等。农业主要有小麦、玉米、豆类等。农业产值较小,工业总产值占 90% 以上。

7.2.1.2　地质概况

　　铜川市位于鄂尔多斯台地的南缘,属于祁吕贺"山"字形构造,基岩为单斜地层,倾向北,倾角 6°～12°,褶皱与断层较少,地质构造简单。铜川市出露的地层属于华北区古生界的下奥陶统、石炭系和二叠系以及新生界的第四系。

7.2.1.2.1　地层岩性

　　1)古生界

　　古生界包括下奥陶统的海相沉积,石炭系的海陆交互相沉积,二叠系以后为陆相沉积地层。

　　(1)下奥陶统(O_1):呈北东、南西向分布。下部为深灰色中厚层白云质灰岩、灰岩,白云岩,可找到头足类化石;上部为灰黑色薄层泥灰岩,可找到腕足类、珊瑚、板足类化石。有两组节理,其产状分别为 175°∠80° 与 50°∠85°,厚度＞350 m,出露厚度为 5～15 m。在二十里铺、新川沟、川口、王家河等处有出露。

　　(2)石炭系(C_3):不整合于下奥陶统之上,系深灰色泥岩、石英细砂岩、煤层及石英岩;底部为灰色铝土矿和黏土矿,是主要的含煤地层之一,含可采煤层 2～3 层。厚度为 20～30 m,其中含有植物化石。

　　(3)二叠系(P):上部为紫红色、杂色的泥岩,厚 1～5 m;中部为中厚层的砂岩、粉砂岩夹薄层泥页岩,砂岩厚 5～20 m,泥页岩厚 0.5～2 m;下部为含砾粗砂岩,中厚层块状,出露厚度 2～5 m。二叠系总厚度 3～30 m,产状 330°∠6°～12°,出露在漆水河以及大的支沟的两侧。砂岩中存在两组节理,产状 330°∠80°、50°∠75°。二叠系是本区主要含煤地层之一,与下伏地层整合接触,厚915 m。

　　2)第四系

　　第四系主要为风积黄土,分布范围很广,厚 80～150 m。

　　(1)中更新统黄土(Q_2^{eol}),即离石黄土。呈黄褐色或浅棕色的亚黏土,可见 4～7 层古土壤,古土壤褐红色,厚度约 1.0 m,古土壤中或上部一般有厚 0.3～0.5 m 的钙板。离石黄土黏粒含量较高,土质均一、干燥时坚硬,垂直节理发育,具有针孔及小孔隙,厚度 60～

80 m。不整合于下伏地层之上。

（2）上更新统黄土（Q_3^{eol}），即马兰黄土。呈淡黄色或灰黄色，属亚砂土，底部有一层棕红色古土壤，厚度 0.5～2 m，一般为 1.0 m。马兰黄土中柱状节理较发育，结构较疏松，质地没有离石黄土坚硬，湿陷性较大。上部虫孔、孔隙大量发育，也可见到贝壳，具有钙板。马兰黄土总厚度为 5～25 m。主要分布在黄土塬、梁峁，以及漆水河的二级阶地上。

（3）全新统。全新统地层比较复杂，有以下几类：①黄土状土（Q_4^{1al}）。分布在较大河流的一级阶地上，呈浅灰黄或黄褐色的亚黏土，结构疏松，土均质一，具小孔隙，有湿陷性，层理明显，厚度 2～5 m。②冲积砂砾石（Q_4^{2al}）。砾石直径 0.5～4.0 cm，分选差，磨圆度一般，厚 0.5～1.0 m。③人工填土（Q_4^{me}）。分布在桃园、史家河、三里洞等，是工业矿渣及生活垃圾，有煤矸石、煤渣，人工开挖回填的黄土、黏性土、亚黏土，建筑垃圾混凝土块、砖块等。④重力堆积（Q_4^{del}）。滑坡侵蚀、崩塌侵蚀的产物，原状土结构破坏严重，土体抗冲性较差。在斜坡地带广泛分布。⑤坡积物（Q_4^{dl}）。斜坡地带多有分布，沿斜坡呈条带状，为马兰黄土、离石黄土、基岩的风化剥蚀产物，多堆积在坡脚或斜坡面上，结构松散。⑥冲洪积物（Q_4^{al+pl}）。分布在小河沟、老虎沟、杨树沟，新兴沟等沟口，地貌形态上呈扇形，颗粒粗大且不均一，结构松散。

7.2.1.2.2　地质构造

1）褶皱

铜川市褶皱不发育，仅有一些宽缓的褶皱，大多走向北西。较大的有黄堡背斜，位于铜川市与黄堡之间，背斜轴部在黄堡一带，主轴走向北西，轴面倾向南，倾角大，接近直立，主轴长 7～10 km。

2）断层

本区大断层有 3 条，枣庙逆断层位于铜川市北部的河东—枣庙村一带，产生于二叠系地层，断层产状 70°∠45°，延伸 15.0 km。董家沟正断层位于史家沟一带，产状 60°∠60°，断面较平直，延伸约 10.0 km，由于黄土的覆盖而断续出露。陈炉正断层位于铜川市南窑儿凹—任家湾一带，断面产状 60°∠60°，断面平直，延伸 8.0 km。

3）节理

本区基岩中普遍存在两组节理，一组北北西走向，另一组北东走向，倾角 75°～90°，节理面比较光滑，节理中无充填。

4）区域构造简史

据铜川市的地层岩性，大约中奥陶世以前，地壳缓慢下降变为海洋接受沉积，发育以碳酸盐为主的浅海相地层；到晚奥陶世至早石炭世，本区地壳又抬升，这时发生了海退，造成地层缺失；中晚石炭世地壳又缓慢下降，发育一套海陆交互相地层。到侏罗、白垩纪时地层又开始抬升，地层发育不全；第三纪时期，本区遭到强烈风化剥蚀，只有在地势低洼地段，才有风化剥蚀产物的堆积；第四纪则大面积接受了风积黄土的堆积；挽近地质时期，新构造运动以地壳上升隆起为主，上升幅度大，且差异性升降微弱。

7.2.1.3　地貌

铜川市地处渭北黄土高原与关中平原的过渡地带，地势北高而南低，海拔 600～

1 050 m,相对高差50~200 m。区内冲沟发育,多呈树枝状分布,干涸的小河流纵横。地貌可划分为黄土地貌和河谷地貌两大类型。

7.2.1.3.1　河谷地貌

主要是漆水河及其支流的河谷地貌。漆水河阶地有三级,河漫滩及第三级阶地已被人类改造的不易辨认。本区河谷一般宽350~1 500 m。

1)一级阶地

在大的河谷两侧条带状连续分布,宽5~800 m,相对高差2~5 m,阶地表面覆黄土状土,阶地类型为嵌入型,局部有基座阶地。

2)二级阶地

在漆水河两岸断续分布,两侧不对称,宽0~500 m,大多数为嵌入型阶地,少部分为基座阶地,相对高差3~10 m。

3)三级阶地

人类活动破坏及河流侵蚀形态很不完整,由于堆积物的后期覆盖,辨认已相当困难。在三里洞附近可见到河床相的冲积层,下覆基岩,系基座阶地。

漆水河较大支流如王家河、雷家河也可见到河谷阶地。王家河河谷宽300~1 000 m,有一、二级阶地分布。雷家河河谷宽200~600 m,只见到一级阶地,且在坡底有基岩出露。

7.2.1.3.2　黄土地貌

铜川市处于黄土高原上,黄土地貌比较发育,常见的有以下几种地貌。

1)黄土堆积地貌

(1)黄土塬:铜川市两侧的黄土塬,地势比较平坦、开阔,农田面积广大。黄土塬一般在黄土梁峁的中心。本区较大的塬有赵家塬、南韩塬、高家塬、前塬、东塬等。

(2)黄土梁:位于黄土塬周围,为平行沟谷的长条形高地,走向北东的较多,长度不等,多数在200~2 000 m,宽300~500 m。梁顶地面略有起伏。多数黄土梁是黄土塬切割的产物,只有少数是继承古地形发育而成。

(3)黄土峁:为孤立像馒头的黄土丘,顶面高程大多在1 000 m左右,峁的周围斜坡一般在40°~50°,黄土梁进一步切割即为峁。铜川市黄土峁不是很发育。

2)黄土侵蚀地貌

主要指黄土冲沟。冲沟遍布黄土塬边、黄土梁峁的边坡上,由于垂直节理的发育,沟壁较陡,几乎直立。主沟深一般40~100 m,沟脑多为"V"形,中游到沟口多呈"U"形,支沟深30~80 m,一般为"V"形,是由流水的侵蚀所致。一般主沟走向以锐角与漆水河相交,而支沟则以锐角与主沟相交。

3)黄土潜蚀地貌

发育在黄土冲沟两侧,由大气降水、灌溉等使水沿黄土裂隙、裂缝下渗,造成潜蚀而形成。

(1)黄土柱:黄土柱一般直径几米,高度几米到十几米,形态上呈柱状体,断面呈圆形,出现在较大的冲沟内。

(2)黄土漏斗、溶洞及黄土桥:黄土漏斗、溶洞在冲沟两侧斜坡上经常见到,是由垂直节理及湿陷性形成。漏斗直径一般为0.5~4 m,黄土桥是溶洞进一步发育而形成的。

4)斜坡地貌

铜川市斜坡面积较大,约占总面积的25%,斜坡地貌非常发育,斜坡地貌是重力侵蚀的主要场所,大河谷两侧发育有大中型滑坡,川口滑坡就发生在王家河南岸的斜坡上,冲沟中则有很多中小型的滑坡、崩塌等。

7.2.1.4 地下水

本区属大陆干旱气候区,年蒸发量远大于年降水量,差值高达912 mm,地表水径流较小,地下水埋深在河谷区较浅,在黄土塬、黄土梁峁、黄土斜坡均较大,很多大于50 m,地表水、地下水资源严重不足,属严重缺水区。

7.2.1.4.1 地下水类型及富水性

按地下水的赋存特点本区又分为三类:松散堆积物中的孔隙水,基岩裂隙中的裂隙水和碳酸盐岩裂隙、溶洞中的岩溶水等。

1)孔隙水

孔隙水分布在第四纪松散堆积物中,以黄土、砂砾石层孔隙潜水为主,补给来源主要是大气降水和地表水下渗。潜水水位、水量随季节变化较大,富水性一般较差,黄土塬、黄土梁区地下水相对贫乏,河谷阶地稍好,但单孔涌水量一般小于50 m³/h。

2)裂隙水

裂隙水分布于本区北部黄土塬下的基岩裂隙中,富水性也比较差,受构造条件的控制,水量很小,它的主要补给源是黄土孔隙水的下渗。水质比较复杂,矿化度一般为0.25~0.35 g/L。

3)岩溶水

岩溶水分布在奥陶纪灰岩中,灰岩沿裂隙面、层面有明显的岩溶空洞,为地下水的富集提供了有利条件,水位较深,主要靠孔隙裂隙水补给。

7.2.1.4.2 地下水的补给、径流与排泄

工作区地下水补给来源主要有大气降水入渗、上游地下水径流、农田灌溉水下渗、地表水入渗,年总补给量1.26亿 m³。

地下水径流方向以漆水河河谷为断面,从北向南径流,两侧以各自的分水岭向小河沟中径流。

地下水排泄途径为大气蒸发、地下水径流、井泉等。

7.2.2 铜川市滑坡侵蚀基本规律

铜川市滑坡侵蚀的数量多、类型全、规模大,随处可见斜坡破坏的现象,看起来杂乱无章,实际上铜川市滑坡侵蚀遵循着一定的规律。

7.2.2.1 铜川市滑坡侵蚀类型

滑坡侵蚀分类的目的在于对产生滑坡的各种因素进行综合分析,以便正确地反映滑坡侵蚀的规律性,科学地指导滑坡侵蚀防治与科研工作,正确地评价铜川地区滑坡侵蚀的强度、滑坡发育状况、预测滑坡的发展趋势,为制定切实有效的防治措施服务。

　　铜川市滑坡侵蚀多次发生,不稳定的斜坡大量存在,在现存的滑坡、崩塌、滑塌三种重力侵蚀类型中,以滑坡侵蚀最为强烈。它虽然数量没有崩塌多,但个体规模大,而且具有较强的多发性。因而,它对城乡生活和经济活动造成的损失非常严重。

　　本文根据工作区中所确认的 127 处滑坡、272 处崩塌、52 个滑塌的基本现象和特征,按照我们提出的滑坡侵蚀分类方案,依据它们的侵蚀规模、滑体岩土特性等进行划分。

7.2.2.1.1　滑坡侵蚀规模分类

　　滑坡侵蚀规模大小直接关系到侵蚀量的等级、损失大小、预防、整治费用等,所以滑坡侵蚀规模首先被用来作为分类的尺度,把铜川市确认的 127 处滑坡分为小型滑坡侵蚀、中型滑坡侵蚀、大型滑坡侵蚀、巨型滑坡侵蚀四种类型(见表 7-2)。

表 7-2　　　　　　　　　　　滑坡侵蚀统计表

滑坡侵蚀类型	滑坡侵蚀数量(个)	个数占总数的百分比(%)	滑坡侵蚀量(万 t)	滑坡侵蚀量占总量的百分比(%)
小型滑坡侵蚀(<5 万 t)	29	22.8	89.5	0.77
中型滑坡侵蚀(5 万~50 万 t)	61	48.0	458.6	3.97
大型滑坡侵蚀(50 万~500 万 t)	25	19.7	1 887.8	16.36
巨型滑坡侵蚀(>500 万 t)	12	9.5	9 106.7	78.90
合　计	127	100.0	11 542.6	100.00

　　由表 7-2 可以看出,滑坡侵蚀以中型滑坡数量最大,有 61 个,所占百分比达到了48.0%,侵蚀量只有 458.6 万 t,所占百分数也只有 3.97%;而巨型滑坡数量只有 12 个,所占百分数也只有 9.5%,侵蚀量却达到了9 106.7万 t,所占百分比达到了 78.90%。

7.2.2.1.2　滑坡侵蚀的岩土类型

　　铜川市黄土斜坡分布面积大,工作区 82.5 km² 范围内,黄土斜坡面积为 48.3 km²,占 58.6%。据统计,工作区内黄土滑坡共 98 个,占 77.2%;基岩滑坡,包括上部黄土,下部为基岩的滑坡只有 29 个,占 22.8%。

7.2.2.1.3　滑塌侵蚀与崩塌侵蚀

　　铜川市除滑坡广泛分布外,还大量存在着滑塌和崩塌,尤其是崩塌,在一些大河沟的陡坡地段、小冲沟内到处可以见到崩塌的发生,本工作区 82.5 km² 范围内就有崩塌 272 处,占 60.3%,形成148.4 万 t 的侵蚀量,其规模与滑塌相比较小,但分布范围大,造成的灾害也是不容忽视的。

7.2.2.2　铜川市滑坡侵蚀规律

7.2.2.2.1　滑坡侵蚀发生的条件

　　滑坡侵蚀受内在条件的控制及外在营力的影响而发生,其中内在条件起决定性的作用,外在营力则起激发的作用,二者相辅相成,缺一不可。

　　1)内在条件

　　铜川市基岩顶面的古剥蚀面及第四系黄土的特有特性、特殊结构对滑坡侵蚀起控制作用。

(1)基岩古剥蚀面。本区基岩古剥蚀面由石炭系上统太原群、二叠系石千峰组上段表部岩层构成,局部有奥陶系灰岩存在。古剥蚀面起伏不平,控制上覆第四纪地形的发育、演化特征。构成基岩古剥蚀面的岩层,呈全风化或强风化状态,风化层厚度一般为 2～7 m,主要为泥岩、局部有砂岩组成的风化产物,呈土状或者碎块状,遇水极易泥化,力学强度急剧降低,不透水。根据取样试验结果,物理力学性质已与土层接近或相同,天然干燥状态抗剪强度指标 $C = 0.009\ 8$ MPa,$\phi = 21°$(新鲜泥岩 $C = 0.039\ 8$ MPa,$\phi = 38°$),正是由于基岩表面这种起伏不平、遇水极易泥化、不透水的古剥蚀面存在,为滑坡面的形成提供了很有利的地质条件。

(2)黄土堆积。黄土堆积特性特殊,首先是垂直节理发育,且具有很大湿陷性,垂直节理发育并形成陡壁为滑坡侵蚀提供了临空面,而节理裂隙的发育有利于大气降水、农田灌溉水等向坡内入渗,软化古剥蚀带,形成软塑的软弱带,当坡向与基岩古剥蚀面倾角一致时,使黄土土体沿软弱带滑动,形成滑坡,铜川市绝大多数较大的滑坡都是这种形成机理,如川口滑坡、铝厂滑坡等。其次是黄土湿陷性使黄土容易失去支撑力,从而导致崩塌的发生,当这些软弱面连通时,也可产生滑坡。另外,古土壤在黄土中非常发育,古土壤致密,透水性差,极易形成上层滞水,黄土中黏粒含量相对较多,浸水后力学强度降低很多,古土壤层与垂直节理一起构成滑面,这种情况比较多见于小型滑坡侵蚀体中。

(3)斜坡结构。铜川市基岩地层顶面南高北低,形成倾向北的单斜地层。局部有宽缓褶皱如黄堡背斜在本区内出露,背斜两翼主要是二叠系砂岩、泥页岩互层,该地层平均倾角约 10°,当黄土斜坡坡向与地层倾向一致时,极有利于滑坡的形成。

2)外在营力

内在条件即地质环境是滑坡侵蚀形成的基础,而外在营力为滑坡侵蚀的产生提供了动力,气象水文以及人类活动是滑坡侵蚀的外部环境,外部环境中各因素的变化,对滑坡侵蚀的形成影响很大。据现场调查及前人资料分析,本区滑坡侵蚀的形成、活动受大气降水与地下水、人类活动等因素的影响。

大气降水入渗后沿滑动面有一个使滑坡侵蚀趋于活动的渗透力;地下水削弱了岩土之间的连接,特别是古剥蚀面泥化;地下水增加了坡体中孔隙水的压力,以上这些因素都降低了阻滑力。本区多年平均降水量 588 mm,但丰水年发生滑坡与崩塌的数量比贫水年多得多。

新中国成立以来,尤其是近几十年,铜川市人类活动强度增加很大,由于受地域的限制,活动范围由河谷区向斜坡区扩展,对斜坡稳定起到了很不利的影响,人类活动强烈的斜坡区,产生了不同程度的滑坡侵蚀,据调查分析,斜坡区人类活动主要有:

(1)灌溉水入渗。从 1970 年初开始,铜川市将大批的坡地平整,改旱地为水浇地,以漫灌形式灌溉农田,造成大量灌溉水渗入,坡体重量增加,坡体地下水位升高,直接降低斜坡的土体强度,斜坡开始滑动,这种现象如川口—卫校滑坡。

(2)削方堆填,土地平整。20 世纪 60 年代末到 70 年代初,铜川市为将旱地变成水浇地,在斜坡地带进行大规模修筑梯田。另外,居民在坡地上修建住宅,进行了大量的坡地削方、堆填。因此,斜坡应力状态、临空条件及地下水排泄条件得以改变。如川口滑坡,原地形是上、下部缓而中间陡的连续坡体,顺坡向有三条大的冲沟可供排水,南北两侧为边界沟,而中间冲沟已由人工填平。斜坡原有两处泉水出露点,一处够200人生活用水,由于人为因素被堵。坡体下部修建的公路,使向河流排泄的地下水受到阻隔。种种人类活动的不良影响,使坡体稳定性显著降低,尤其是地下水径流受阻,造成排泄不畅,导致水位升高及孔隙水压力增大,坡体稳定性因此降低。

(3)工程活动。为在坡体上修建各种建筑开挖坡体,开挖土体堆积在坡体上,增大坡体的临空面、加大坡高、破坏原来长期形成的动力平衡状态,使坡体应力重新分配,导致斜坡破坏,如铝厂—卫校滑坡。有些坡体上倾倒了大量的煤矸石,加大了坡体载荷,导致坡体失稳,如桃园滑坡、杨家砭滑坡。

(4)生活用水的排放。随着斜坡上民用建筑的大量兴建,居民数量不断增加,大量排放的生活废水,亦成为区内地下水的补给源,导致斜坡体稳定性降低。

7.2.2.2.2　斜坡破坏的空间分布规律

1)滑坡在空间上的分布规律

漆水河及较大的支流两岸,基岩古剥蚀面倾角与斜坡坡角相同的斜坡上多大型滑坡,而中小型滑坡则在支沟交会的坡体上分布。在工作区有33处巨型、大型滑坡,均分布在大的沟谷与基岩层倾角一致的斜坡上;中型、小型滑坡90处,多分布在老虎沟、甘泉沟、小河沟等沟的两侧斜坡上。

2)崩塌与滑塌的空间分布规律

工作区有崩塌272处、滑塌52处,规模一般不大,全部分布在较小的支沟和小冲沟内,沟头陡直地段、大河谷两侧的陡壁上也有分布。

7.2.2.2.3　滑坡侵蚀在时间上的分布规律

滑坡侵蚀受大气降水、人类活动等的促滑因素影响而启动。大气降水有高峰期、低峰期,人类活动具有某种规律性,则滑坡侵蚀在时间上也具有了一定的规律性。

1)古滑坡、新滑坡发生的时间

古滑坡一般发生在中更新世晚期,离石黄土被错断,马兰黄土则连续沉积;而新滑坡形成在古滑坡复活之后,马兰黄土亦被错断。

2)滑坡与大气降水的关系

铜川市属大陆性温带半湿润气候,多年平均降水量588.0 mm,降水量年变化有高峰、低峰相间的波动性。1955~1966年年平均降水量高达620.3 mm,是大气降水的高峰期。1967~1974年年平均降水量只有560.6 mm,是大气降水的低峰期。1975~1984年年均降水量达到634.5 mm,是另一高峰期,1983年降水量则高达889.4 mm。根据气象资料分析,高峰期1975~1984年的大气降水特点与高峰期1955~1966年大气降水特点明显不同,1975~1984年大气降水量大、强度低、时间延续长、少暴雨,多为连阴雨,降水曲线呈缓慢的升降,此种大气降水特点,对滑坡、崩塌、滑塌等一系列重力侵蚀的形成极为有利。据现场调查,铜川市大量的重力侵蚀多在此期间发生。铜川市不但年际降水量变化较大,年内降水量也随季节剧烈变化,一般7~9月为雨季,雨季降水量占全年降水量的50%以上。年内降水量的季节波动,使滑坡侵蚀的发生有明显的对应关系,大量的斜坡破坏基本上发生在雨季或滞后一段时间,活动强度与降水量的大小呈正相关关系。

7.2.2.2.4　铜川市滑坡侵蚀机理

1)滑坡侵蚀的形成机理

大型滑坡特点比较明显,铜川市大型滑坡大多数在古滑坡的基础上整体或局部复活,而局部复活占绝大多数,滑体基本上沿已存在的软弱面(古剥蚀带、古土壤层等)滑动。缓动低速的多见,一般是滑坡缓缓启动,低速运移,剧动的大型滑坡目前还没有见到。滑动方向多为北北西向和北北东向。

滑坡侵蚀的塑性蠕变要耗费大量能量,能量的不足,使滑坡启动缓慢。滑坡滑动面产生于软塑泥岩物质构成的滑带中,峰值、残值抗剪强度相差较小。滑坡滑动面发育于 $1 \sim 3 m$ 近饱和软塑状滑带土中,静摩擦阻力、动摩擦阻力几乎相等。

滑坡滑动面倾角平缓,势能转化得到的动能较小。三段式滑面的后缘段倾角较大,主滑段则倾角平缓,前缘段多数倾向坡内,这样滑动力主要来源于后缘段滑体所具有的势能,但后缘段在滑坡体中所占比例很小,因此作用于主滑段的推力也小。滑体滑动迫使滑带内水分逐渐排出,孔隙水压力降低,滑带逐渐被压密,导致滑带强度自行增大,使得滑体滑动减速。第四纪可塑性黄土组成的滑体,主滑带产状一般比较平缓,加上滑面的起伏不平,饱和软塑状黏土滑移时产生局部不平衡,滑体产生一系列解体和一定的塑性变形,消耗滑体能量,使得滑速减小。

中小型滑坡一般沿古土壤层、最大剪应力面、黄土垂直节理等软弱面滑动,当临空条件具备时,势能转化的动能就比较大,滑速就大,滑动方向则与沟谷走向大致垂直。如老虎沟后沟的中小型滑坡,滑速较大。

由于人工活动或河流冲刷,斜坡前缘临空面形成,后缘逐渐产生拉裂缝,平时的坡面灌溉、堆放废物,建筑房屋等加大了后缘裂缝的形成,降低了其稳定性。当降雨量大,时间长时,软弱面浸水软化,抗剪强度降低,滑坡便沿着软弱面向下滑动。

本区滑坡侵蚀绝大多数处于稍稳状态或极限状态,某种触发条件的加强,就可能重新活动。据计算,铜川市的滑坡稳定系数大多数介于 $1.0 \sim 1.2$ 之间,属稍稳状态,降水量较大的年份由于滑面抗剪强度的显著降低,很多滑坡产生了滑移,降水量的大小对本区滑坡侵蚀稳定性起决定性的作用。如川口滑坡 1976 年雨季开始启动,到 1983 年雨季到来时,滑坡开始滑动,变形不断加强,1983 年最后几个月滑动达到高峰。

2)崩塌侵蚀、滑塌侵蚀的形成机理

(1)崩塌侵蚀。崩塌体积一般较小,但数量较多,且孕育时间短暂,来势凶猛,高速滑动,垂直位移量大而水平位移量小。其形成机理主要是外缘有陡峭的临空面,内部垂直节理一般发育得很深,大气降水入渗、坡体卸荷等作用,使高陡坡体翻滚而下形成崩塌侵蚀。

(2)滑塌侵蚀。坡脚黄土受流水冲刷或人为削坡使坡体失稳,土体在重力作用下沿一定裂缝向下错落,即垂直地向下运动。

7.2.3　铜川市滑坡侵蚀定量评价模型

本书在充分收集利用已有资料的基础上,对铜川市的滑坡侵蚀开展了全面的现场调查研究工作,在现场调查阶段对铜川市形成滑坡侵蚀的自然地质环境、典型滑坡分布、特征和社会经济环境进行重点区段的调查,对 127 个滑坡、52 个滑塌、272 个崩塌(部分)造表登记,编绘 1:10 000铜川市滑坡分布图(图 7-1)。然后进行室内资料整理。室内资料整理阶段进行了滑坡形成条件的分析,选择 10 个因子参加滑坡侵蚀强度评价,进行因子作用程度分析,在 1:10 000地形图上制作网格,网格横向间距与纵间间距一致,均为 500 m,并从左到右,从上至下编号(图 7-2),研究区内 82.5 km^2 共分 330 个网格单元。在网格图上依次计算 10 个因子的信息量,并按前述公式计算网格单元的信息量总和。分析确定临界值,确定侵蚀强度分界值。用上述方法分析确定铜川市滑坡侵蚀发生的临界值分别为:①V级,剧烈侵蚀区,信息量>0.50;②Ⅳ级,强烈侵蚀区,信息量 0.3~0.5;③Ⅲ级,中度侵蚀区,信息量 0.0~0.3;④Ⅱ级,轻度侵蚀区,信息量 -1.0~0.0;⑤Ⅰ级,微弱侵蚀区,信息量 <-1.0。将侵蚀分区临界值输入计算机,用计算机编绘滑坡侵蚀等值线图,并打印输出。

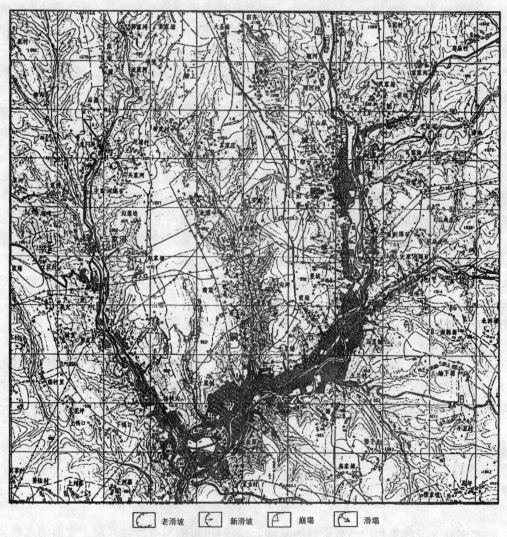

老滑坡　　新滑坡　　崩塌　　滑塌

图 7-1　铜川市滑坡分布图

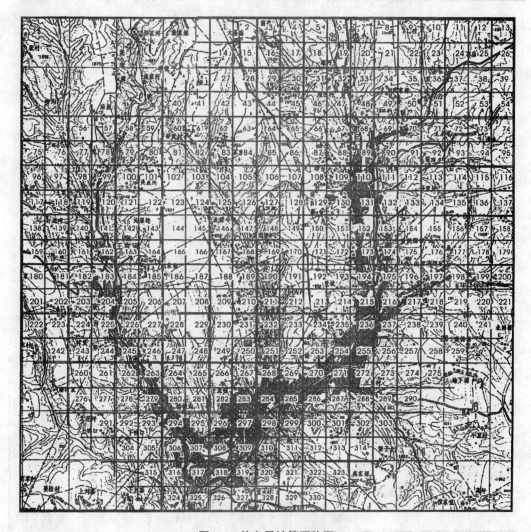

图 7-2　信息量计算网络图

　　将滑坡分布现状点绘在滑坡侵蚀强度评价图上,进行比较查对,对侵蚀强度和滑坡分布差别大而导致异常的区域,到现场进行重点查对,修正滑坡侵蚀强度分区界线,使之与实际相符。

7.2.3.1　因子的选择与因子状态划分

　　区域滑坡侵蚀的定量评价,与滑坡侵蚀的形成分析有关,其评价因子的筛选源于滑坡形成条件。根据现场调查、分析,本研究将地形因素(相对高差、地形坡度和沟谷切割密度)、地质因素(地层结构、地震加速度)、地下水出露位置、气候水文因素(植被盖度)、人类活动强度等作为滑坡侵蚀定量评价的主要因素(见表 7-3)。

7.2.3.1.1　地形因素

　　选择相对高差、地形坡度和沟谷切割密度 3 个因子来进行滑坡侵蚀的定量评价,并且这 3 个因子能完全刻画地形的特征。

表 7-3　　　　　　　　　　　**因子信息量状态表**

因子		因子状态	N_i	M_i	$\dfrac{N_i/N}{M_i/M}$	$\lg\dfrac{N_i/N}{M_i/M}$
地形	相对高差	>50 m	131	177	1.372	0.137 4
		25~50 m	43	84	0.949	−0.022 6
		<25 m	5	69	0.134	−0.871 8
	地形坡度	>45°	103	157	1.216	0.085 0
		20°~45°	73	107	1.265	0.102 1
		<20°	2	66	0.056	−1.250 4
	沟谷密度	密	76	93	1.515	0.180 5
		中	60	154	0.722	−0.141 3
		稀	43	83	0.961	−0.017 5
地质	地层结构	黄土与基岩	82	103	1.476	0.169 1
		黄土	96	227	0.784	−0.105 7
	地震加速度	高	75	116	1.199	0.078 7
		低	103	214	0.892	−0.049 5
地下水出露位置		黄土底部的基岩面上	57	65	1.626	0.211 0
		黄土坡体中	48	76	1.171	0.068 5
		无地下水出露	73	189	0.716	−0.145 0
气候水文	植被盖度	低	133	154	1.601	0.204 4
		中等	28	115	0.451	−0.345 5
		高	17	61	0.517	−0.286 7
人类活动		强度大	116	141	1.525	0.183 3
		强度中等	49	107	0.849	−0.071 0
		强度小	13	82	0.294	−0.531 8
备　注			$M=330, N=178$			

(1)相对高差:>50 m,25~50 m,<25 m。

(2)地形坡度:>45°,20°~45°,<20°。

(3)沟谷切割密度:密,中,稀。

7.2.3.1.2　地质因素

地层结构、地震加速度是滑坡侵蚀评价的重要因子,应该予以考虑。一般大比例尺、小范围内的地震因素因为地震烈度相同而无法考虑,但地震因素十分重要,铜川地区地震烈度高达Ⅵ度,中小地震经常不断,应从地震加速度予以考虑。

　　(1)地层结构:坡体全部由黄土组成;坡体上基岩<25%,黄土>85%。

　　(2)地震加速度:高;低。

7.2.3.1.3　地下水出露

　　地下水对滑坡面的浸润、对滑带土的软化作用均对滑坡侵蚀的形成十分重要,应予以足够的重视。地下水出露位置在坡脚基岩面上和黄土坡体中,坡脚无地下水出露。

7.2.3.1.4　气候水文因素

　　气候水文因素主要以植被盖度来考虑,分为低、中和高。

7.2.3.1.5　人类活动强度

　　人类不合理的工程活动和经济活动,是加快滑坡形成的外部条件。在滑坡侵蚀评价中,人类活动强度比较难以确定,这里根据居民点分布密度、铁路、公路、矿业开发等因素而确定。

　　人类活动强度分为强、中和弱。

　　综合上述分析,我们选择地形、地质、地下水出露内部条件中 6 个因子,在气候水文和人类活动强度外部条件中选择 2 个因子,共 8 个因子参与滑坡侵蚀定量评价。

7.2.3.2　计算并分析各因子状态信息量

　　铜川市滑坡侵蚀的宽度一般以中型、小型为主,巨型、大型较少。鉴于此,我们把铜川市的印台区、王益区及部分周边地区 82.5 km² 的面积划分为 500 m×500 m 的正方形网格共计 330 个单元(图 7-2)。在这 330 个单元中,根据本次现场调查和前人资料,共有 178 个滑坡单元。各因子状态的信息量计算结果列于表 7-3,对该区滑坡侵蚀产生意义较大的指标(正指标)共 10 个:

　　(1)地下水出露在黄土底部的基岩面上,0.211 0;

　　(2)植被盖度低,0.204 4;

　　(3)人类活动强度大,0.183 3;

　　(4)沟谷密度密,0.180 5;

　　(5)地层结构黄土与基岩,0.169 1;

　　(6)相对高差>50 m,0.137 4;

　　(7)地形坡度 20°~45°,0.102 1;

　　(8)地形坡度>45°,0.085 0;

　　(9)地震加速度高,0.078 7;

　　(10)地下水出露在黄土坡体中,0.068 5。

　　计算结果表明,各因子对滑坡侵蚀的贡献程度是不同的。地下水出露在黄土底部的基岩面上影响最大,往后从大到小依次为植被盖度小、人类活动强度人、沟谷密度密、地层结构黄土与基岩、相对高差>50 m、地形坡度(20°~45°、>45°)、地震加速度高、地下水出露在黄土坡体中共 8 个因子状态。

7.2.3.3　计算各单元信息量的综合

计算各单元信息量的综合利用下列公式

$$I = \sum_{j=1}^{n} I(X_i, S) = \sum_{j=1}^{n} \lg \frac{N_i/N}{M_i/M}$$

通过上式计算,得到 330 个单元的信息量。计算对各单元内有利及不利因子状态都已考虑,因此总和能客观地反映该单元产生滑坡的可能性大小。计算是通过计算机来完成的,各单元产生滑坡的信息量计算结果列表从略。

7.2.3.4　确定信息临界值并绘图

我们将滑坡侵蚀信息的频数统计列于表 7-4。以横坐标为信息量,纵坐标为单元频数,作滑坡信息的单元频数曲线(图 7-3),分析图 7-3 找出拐点,拐点的横坐标即为临界值。我们确定 -1.0、0.0、0.3、0.5 四个拐点作为临界值。据此将滑坡信息总量 I 分为五个等值区:$I \leqslant -1.0$、$-1.0 < I \leqslant 0.0$、$0.0 < I \leqslant 0.3$、$0.3 < I \leqslant 0.5$、$I > 0.5$。

表 7-4　　　　　　　　　　　　　　　信息量与频数表

信息量	$-2.0 \sim -1.81$	$-1.8 \sim -1.61$	$-1.6 \sim -1.41$	$-1.4 \sim -1.21$	$-1.2 \sim -1.01$
频数	29	41	1	0	2
信息量	$-1.0 \sim -0.81$	$-0.8 \sim -0.61$	$-0.6 \sim -0.41$	$-0.4 \sim -0.21$	$-0.2 \sim -0.01$
频数	0	0	3	6	15
信息量	$0.0 \sim 0.09$	$0.1 \sim 0.19$	$0.2 \sim 0.29$	$0.3 \sim 0.39$	$0.4 \sim 0.49$
频数	18	45	38	42	38
信息量	$0.5 \sim 0.59$	$0.6 \sim 0.69$	$0.7 \sim 0.79$		
频数	20	15	17		

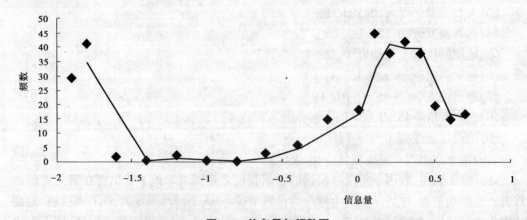

图 7-3　信息量与频数图

将各单元的信息量总和投影于各单元中心,绘制信息量等值线图(图 7-4),划分滑坡侵蚀的强烈程度。

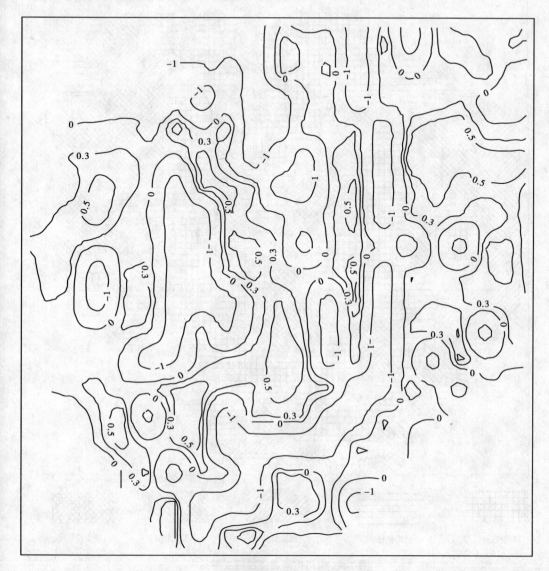

图 7-4　信息量等值线图

信息量 I 与滑坡侵蚀发生的可能性之间存在着一定相关关系,结合现场调查及室内分析可知:

(1) $I \leqslant -1.0$,为微弱侵蚀区段,其中滑坡侵蚀没有出现;

(2) $-1.0 < I \leqslant 0.0$,为轻度侵蚀区段,其间有滑坡侵蚀发生,但数量极少;

(3) $0.0 < I \leqslant 0.3$,为中度侵蚀区段,滑坡侵蚀已有发生;

(4) $0.3 < I \leqslant 0.5$,为强烈侵蚀区,滑坡侵蚀数量多、规模人;

(5) $I > 0.5$,为剧烈侵蚀区,滑坡侵蚀发生的频率高,规模巨大,形成的侵蚀量巨大。

据此绘制滑坡侵蚀强度图如图 7-5 所示。

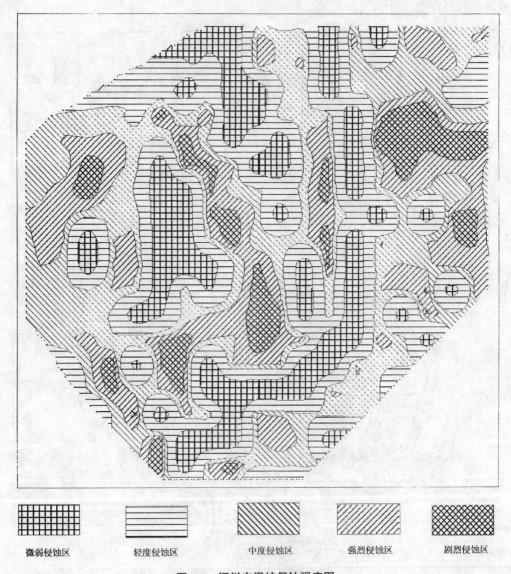

微弱侵蚀区　　　轻度侵蚀区　　　中度侵蚀区　　　强烈侵蚀区　　　剧烈侵蚀区

图 7-5　铜川市滑坡侵蚀强度图

§7.3　铜川市滑坡侵蚀定量评价

　　铜川市位于我国黄土高原西部的河谷地带。漆水河及其支流王家河等河流经该市区。漆水河及其主要支流两岸的黄土塬边斜坡上建设工业、民用建筑物,整个城市镶嵌于黄土高原的残塬深沟之中。随着黄土高原的缓慢抬升,黄土高原受到强烈的侵蚀切割,黄土塬地貌逐渐广泛发育为黄土梁、峁,为滑坡侵蚀提供了有力的物质基础。黄土塬边坡斜坡地带是人们居住和工程活动的场地,经常的人类经济活动、工程活动已经成为一种强大的营力,具有巨大的破坏和毁灭力量。

铜川市滑坡侵蚀强度分为剧烈侵蚀区、强烈侵蚀区、中度侵蚀区、轻度侵蚀区、微弱侵蚀区等五个侵蚀强度区(图7-5)。在滑坡侵蚀强度图上,我们将单元数、各区面积等基本数据列于表7-5。

表7-5　　　　　　　　　　　滑坡侵蚀定量评价基本数据统计表

分　区	界限下限	范　围	面积(km²)	单元数	单元数占单元总数的百分比(%)
Ⅰ	−2.0	−2.0～−1.01	18.25	73	22.12
Ⅱ	−1.0	−1.0～−0.01	6.00	24	7.27
Ⅲ	0.0	0.0～0.29	25.25	101	30.61
Ⅳ	0.3	0.3～0.49	20.00	80	24.24
Ⅴ	0.5	0.5～0.79	13.00	52	15.76
合　计	—		82.50	330	100.00

由表7-6、图7-5知道,铜川市滑坡剧烈侵蚀区面积13.00 km²,占总面积的15.76%;强烈侵蚀区面积20.00 km²,占面积的24.24%;中度侵蚀区面积25.25 km²,占总面积的30.61%;轻度侵蚀区面积6.00 km²,占总面积的7.27%;微弱侵蚀区面积18.25 km²,占总面积的22.12%。铜川市滑坡侵蚀中等以上强度区面积58.25 km²,占到了调查区总面积82.5 km²的70.61%,可见铜川市滑坡侵蚀程度还是非常剧烈的。

本次研究区82.5 km²,其中滑坡侵蚀面积44.5 km²,占总面积的53.9%,没有滑坡侵蚀的面积只有38.0 km²,占总面积的46.1%。

根据我们现场调查及前人资料,铜川市共有滑坡127个(老滑坡43个、新滑坡84个),占侵蚀总数的28.2%(老滑坡9.5%、新滑坡18.6%);滑塌52个,占11.5%;崩塌272个,占60.3%(图7-1)。崩塌的数量很多(272个,占60.3%),但规模较小(148.4万t,占1.19%),滑坡的数量不大(127个,占28.2%),但侵蚀量却很大(11 542.6万t,占92.85%),滑塌的数量(52个,占11.5%)和侵蚀量(740.5万t,占5.96%)居中(见表7-6),我们将铜川市滑坡侵蚀量用等值线绘在图7-6上。

表7-6　　　　　　　　　　　滑坡、崩塌、滑塌侵蚀统计表

侵蚀类型	数量(个)	个数占总数的百分比(%)	侵蚀量(万t)	侵蚀量占总数的百分比(%)
滑坡侵蚀	127	28.2	11 542.6	92.85
滑塌侵蚀	52	11.5	740.5	5.96
崩塌侵蚀	272	60.3	148.4	1.19
合　计	451	100.0	12 431.5	100.00

比较图7-5与图7-6我们看到,信息量法得出的滑坡侵蚀强度图与实际滑坡侵蚀量

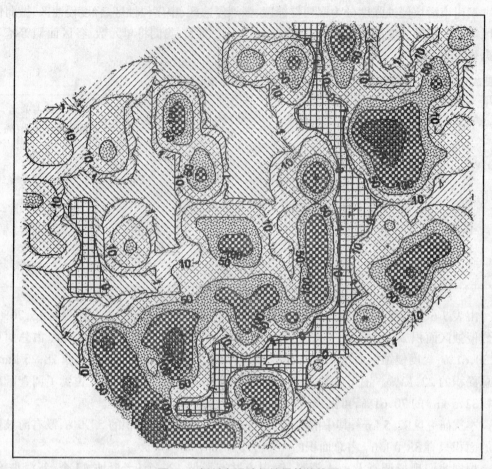

图 7-6　铜川市滑坡侵蚀量等值线图

等值线图有很好的一致性。

由图 7-1、图 7-5、图 7-6 可以看出,属于强烈侵蚀、剧烈侵蚀的斜坡主要分布于城关—七里铺、小河沟—杨树沟、五里铺—原畔村及瓦窑沟、雷家沟一带支沟与主沟的交会处,以及漆水河两侧和侵蚀切割强烈的支沟两侧,约为 33.0 km²,占整个评价区的 40.0%。这些地段具有强烈切割形成的高陡斜坡,也是城市容量有限,逐步向沟谷发展的扩展部位,人类的工程活动、经济活动非常强烈,人类工程活动使大部分高陡斜坡遭到破坏。属于轻微侵蚀、轻度侵蚀的区域主要位于黄土塬面、梁峁顶部、漆水河及其主要支流河谷底部,约为 24.25 km²,占整个评价区的 29.39%。

通过铜川市滑坡侵蚀定量评价模型的研究、应用、分析,说明用数学方法进行滑坡侵蚀定量评价是可行的,可靠性和可信度比较高,这无疑为滑坡侵蚀防治工作提供了方便而有力的手段,它的推广应用将大大促进滑坡侵蚀由定性描述向定量评价的转化,使我们逐步从纯经验判断中摆脱出来,将大大提高滑坡侵蚀研究工作和防治工作的水平。

黄土高原地域辽阔,地质地貌条件复杂,在不同地区应用时,信息量统计分析因素的选取及数量可能是不同的,因子状态的划分也不一致,但其基础都是周密的现场调查及认真细致的研究工作。

　　本研究只是数学理论在滑坡侵蚀定量评价中的初步应用,虽已显示了良好的发展前景,但由于工作区段还比较小,地区还不够广,均有待今后在使用中逐步完善与提高。

　　滑坡侵蚀定量评价模型的推广应用,不仅可为滑坡侵蚀工作提供现代化的资料管理、积累、统计手段,还可从宏观上研究滑坡侵蚀的分面规律和特点,并增强滑坡侵蚀防治工作的主动性。

第8章　结论与建议

§8.1　主要结论

本书在前人大量研究的基础上，通过现场调查、数值模拟、典型案例剖析等途径，研究黄土高原典型滑坡侵蚀的成因、典型地区的分布等，尝试探索土壤侵蚀学与滑坡学之间的联系，初步建立了滑坡侵蚀分析研究体系；用数值模拟方法研究了典型滑坡侵蚀体力学机制和运动过程；利用信息量理论对典型区域滑坡侵蚀进行定量评价研究等。主要结论如下：

(1)本文应用土壤侵蚀学、地质学、地貌学等理论，结合黄土高原滑坡侵蚀的实际，给出了滑坡侵蚀的定义、形态要素、分类、灾害链、形成条件、诱发因素及与其他重力侵蚀的区别等，初步建立了滑坡侵蚀分析研究体系。运用多种手段对典型滑坡的地层岩性、物理力学性质进行了现场调查与试验，建立了用于滑坡侵蚀计算的地质模型，初步建立了滑坡侵蚀的分析研究体系。

(2)利用弹塑性力学理论，建立了典型滑坡侵蚀的数学力学模型。通过有限元数值模拟，计算分析了铜川市典型滑坡侵蚀体的网络变形、主应力、主应变、剪应力、安全率、破裂面上应力分布等，实现了对典型滑坡侵蚀体不同部位力学状态全面系统的把握。

(3)利用运动学基本定律，建立了典型滑坡侵蚀的运动学模型。通过离散单元法数值模拟，对滑坡侵蚀实例进行滑坡破坏后的运动过程仿真，得出了边坡破坏后滑坡侵蚀体运动过程中各块体不同时刻的运动状态、移动轨迹、接触力与角－边接触关系、形心平均主应力、形心平均位移、块体力矩、块体作用力、块体转角、速度、加速度等的历时曲线，模拟仿真滑坡侵蚀体动态滑动过程，在此基础上得到了滑坡侵蚀体运动过程主要分为五个阶段的结论，对滑坡侵蚀体的运动过程有了新认识。

(4)影响滑坡侵蚀的因素是多方面的，且各因素对滑坡侵蚀的贡献不同。典型地区影响滑坡侵蚀的因素状态从大到小依次为：地下水出露在黄土底部的基岩面上、植被盖度小、人类活动强度大、沟谷密度密、地层结构为黄土与基岩、相对高差＞50 m、地形坡度20°～45°、地形坡度＞45°、地震加速度高、地下水出露在黄土坡体中共 10 个因子状态。

(5)通过现场调查和资料分析得出：①在铜川市区 82.5 km² 的面积上，滑坡侵蚀面积 44.5 km²，占 53.9%；无滑坡侵蚀面积 38.0 km²，占 46.1%。②铜川市区滑坡剧烈侵蚀区面积 13.00 km²，占 15.76%，强烈侵蚀区面积 20.00 km²，占 24.24%，中度侵蚀区面积 25.25 km²，占 30.61%，轻度侵蚀区面积 6.00 km²，占 7.27%，微弱侵蚀区面积 18.25 km²，占 22.12%；中等以上强度区面积 58.25 km²，占 70.61%。③铜川市区共有滑坡、崩塌、滑塌 451 个，其中滑坡 127 个(老滑坡 43 个、新滑坡 84 个)，占侵蚀总数的 28.2%，滑塌 52 个，占 11.5%，崩塌 272 个，占 60.3%。崩塌的数量很多，但规模较小(崩塌侵蚀量

148.4 万 t,仅占 1.19%);滑塌的数量和侵蚀量(740.5 万 t,占 5.96%)也较少;滑坡的个数虽少,但侵蚀量却很大(11 542.6万 t,占 92.85%),可见铜川市区滑坡侵蚀程度非常强烈。

(6)利用信息量理论,建立了典型地区滑坡侵蚀定量评价模型,得出了铜川市区滑坡侵蚀强度分布图,经与实测资料对比,模型计算的可靠性和可信度较高。该方法为滑坡侵蚀定量评价提供了一个较为严格的理论基础,使滑坡侵蚀从定性描述进入了定量评价,从而提高了滑坡侵蚀评价的水平。

§8.2　建　议

重力侵蚀的系统研究问题,尤其是滑坡侵蚀的系统研究必须得到加强。由于重力侵蚀在黄土高原总侵蚀量中所占比例较大,因此重力侵蚀机制和评价方法研究的滞后,严重制约着黄土高原地区土壤侵蚀预报的进展,必须大力加强这方面的研究以适应黄土高原地区工农业发展的需要。

重力侵蚀在黄土高原土壤侵蚀中的重要性必须重新认识,滑坡侵蚀(含崩塌侵蚀、滑塌侵蚀、溜坍侵蚀、泥石流侵蚀)类型复杂,发生的随机性较大,但定性研究已不能满足生产实践的需要,必须向定量研究转化。

附录 A　有限元计算成果图

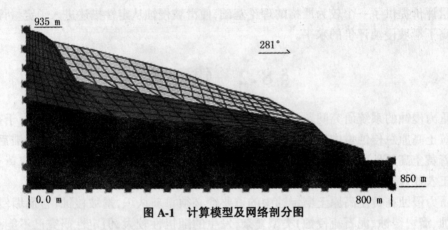

图 A-1　计算模型及网络剖分图

图 A-2　网络变形图

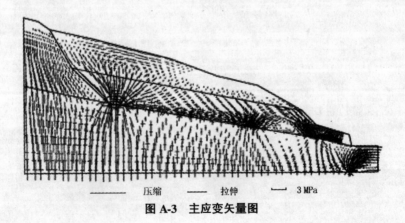

———— 压缩　　———— 拉伸　　——| 3 MPa

图 A-3　主应变矢量图

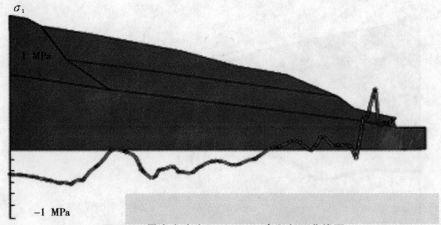

图 A-4　最大主应力(σ_1)865 m 高程断面曲线图

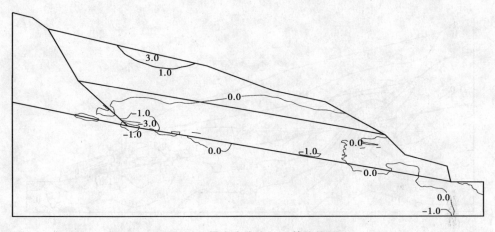

图 A-5　最大主应力(σ_1)等值线图

图 A-6　最大主应力(σ_1)色谱图

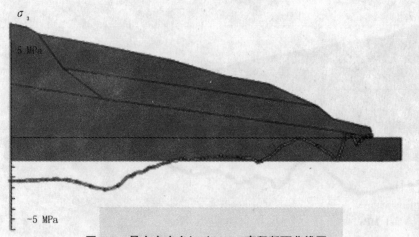

图 A-7　最小主应力(σ_3)865 m高程断面曲线图

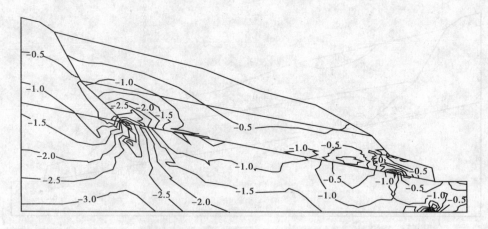

图 A-8　最小主应力(σ_3)等值线图

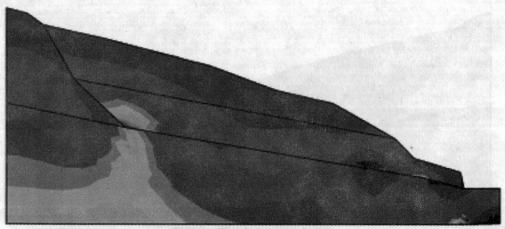

图 A-9　最小主应力(σ_3)色谱图

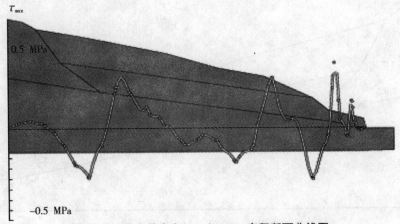

图 A-10　最大剪应力(τ_{max})865 m 高程断面曲线图

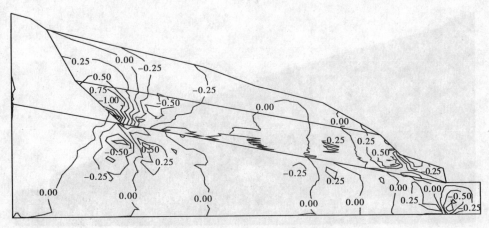

图 A-11　最大剪应力(τ_{max})等值线图

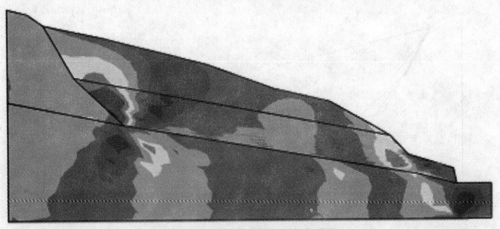

图 A-12　最大剪应力(τ_{max})色谱图

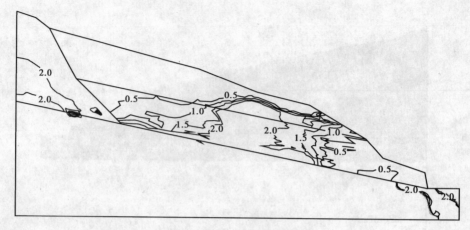

图 A-13　安全率等值线图

图 A-14　安全率色谱图

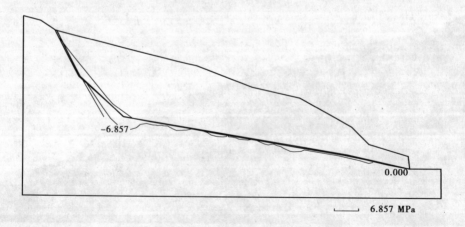

图 A-15　接触面上应力分布曲线图

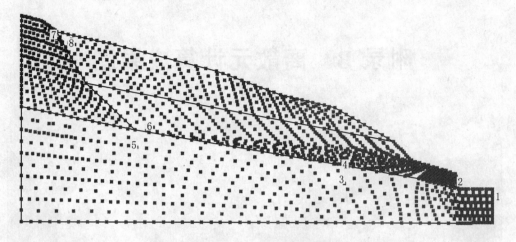

图 A-16　应变点分布与典型点选取图

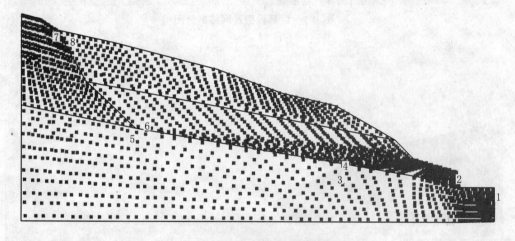

图 A-17　应力点分布与典型点选取图

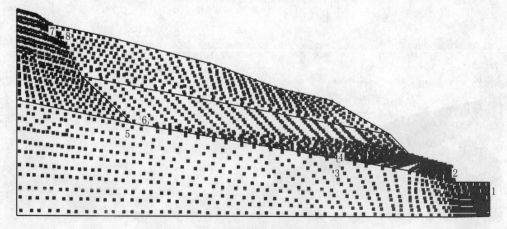

图 A-18　安全率典型节点选取图

附录 B　离散元计算成果图

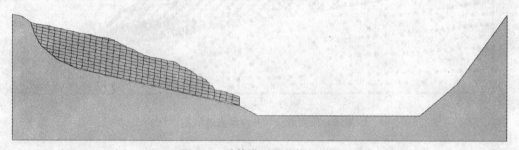

图 B-1　计算模型及网络剖分图

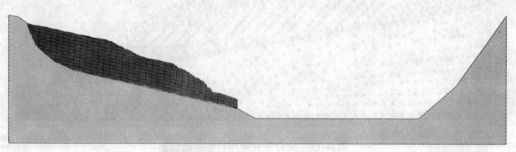

图 B-2　$t = 0.09$ s 时滑体运动状态图

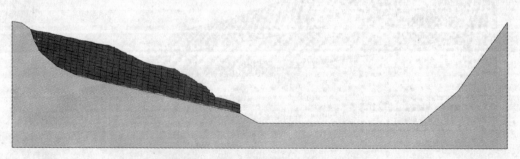

图 B-3　$t = 0.26$ s 时滑体运动状态图

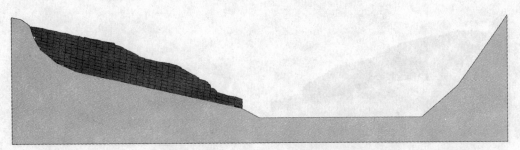

图 B-4 $t = 0.44$ s 时滑体运动状态图

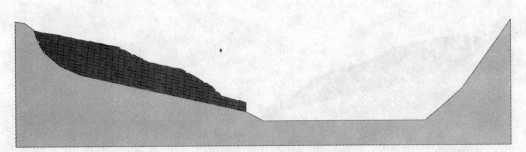

图 B-5 $t = 0.61$ s 时滑体运动状态图

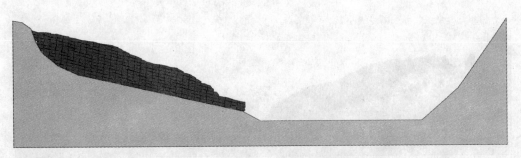

图 B-6 $t = 0.87$ s 时滑体运动状态图

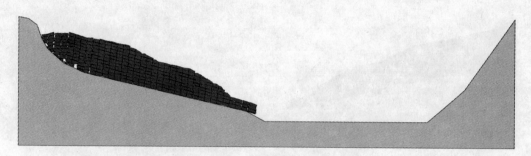

图 B-7　$t = 1.74$ s 时滑体运动状态图

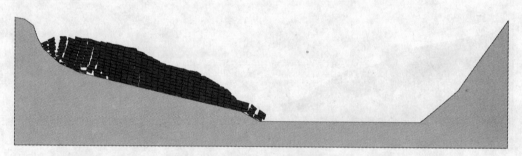

图 B-8　$t = 2.61$ s 时滑体运动状态图

图 B-9　$t = 4.35$ s 时滑体运动状态图

图 B-10 $t = 6.09$ s 时滑体运动状态图

图 B-11 $t = 8.70$ s 时滑体运动状态图

图 B-12 $t = 10.88$ s 时滑体运动状态图

图 B-13 $t = 13.05$ s 时滑体运动状态图

图 B-14 $t = 15.23$ s 时滑体运动状态图

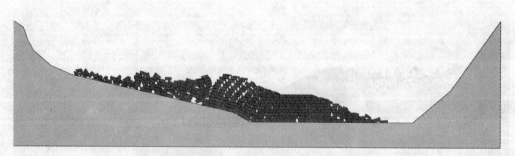

图 B-15 $t = 17.40$ s 时滑体运动状态图

图 B-16 $t = 20.01$ s 时滑体运动状态图

图 B-17 $t = 22.62$ s 时滑体运动状态图

图 B-18 $t = 26.10$ s 时滑体运动状态图

图 B-19　$t = 28.71$ s 时滑体运动状态图

图 B-20　$t = 31.32$ s 时滑体运动状态图

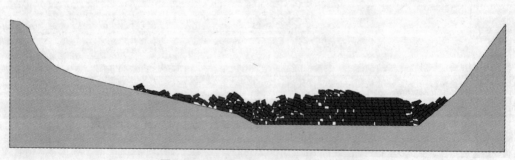

图 B-21　$t = 34.80$ s 时滑体运动状态图

图 B-22 $t = 39.15$ s 时滑体运动状态图

图 B-23 $t = 43.50$ s 时滑体运动状态图

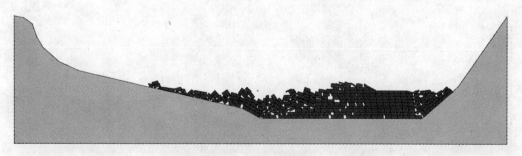

图 B-24 $t = 44.37$ s 时滑体运动状态图

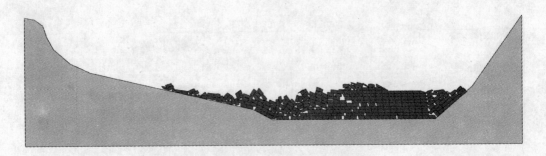

图 B-25　*t* = 52.20 s 时滑体运动状态图

图 B-26　*t* = 60.90 s 时滑体运动状态图

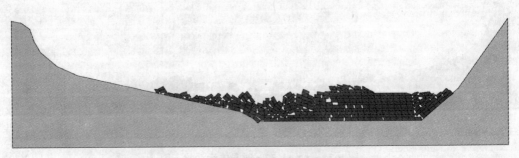

图 B-27　*t* = 69.60 s 时滑体运动状态图

图 B-28 $t = 78.30$ s 时滑体运动状态图

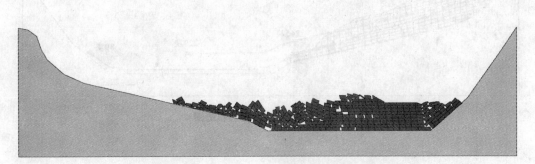

图 B-29 $t = 87.00$ s 时滑体运动状态图

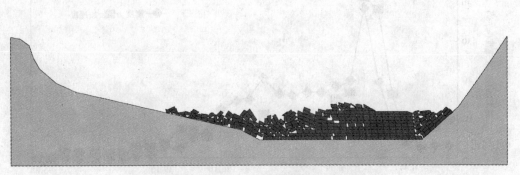

图 B-30 $t = 95.70$ s 时滑体运动状态图

图 B-31　$t = 95.88$ s 时滑体运动状态图

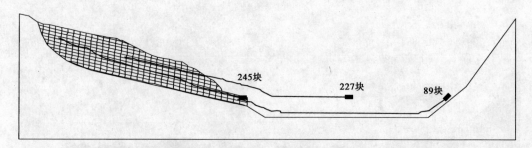

图 B-32　跟踪块体移动轨迹图

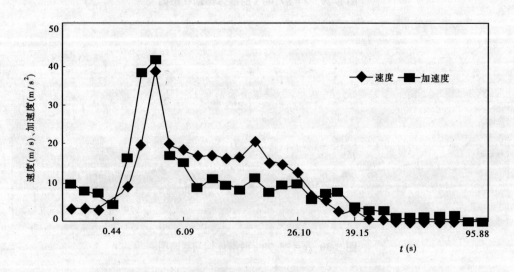

图 B-33　速度、加速度图

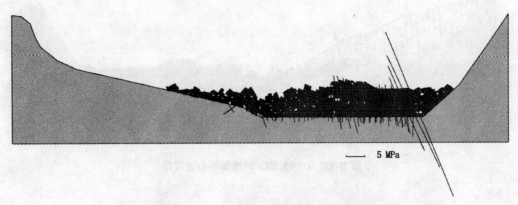

——— 5 MPa

图 B-34 $t = 95.88$ s 时滑块平均主应力图

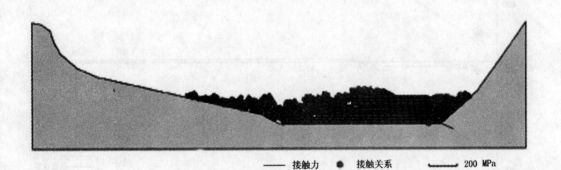

——— 接触力　● 接触关系　╌╌╌ 200 MPa

图 B-35 $t = 95.88$ s 时滑块接触力与角－边接触关系图

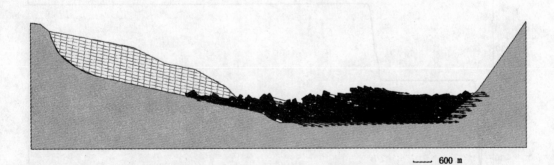

——— 600 m

图 B-36 $t = 95.88$ s 时滑体形心位移图

0.001 m/s

图 B-37　t = 95.88 s 时滑体形心速度图

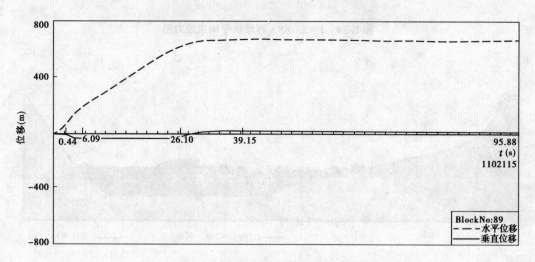

图 B-38　滑体前缘 89 块线位移历时曲线

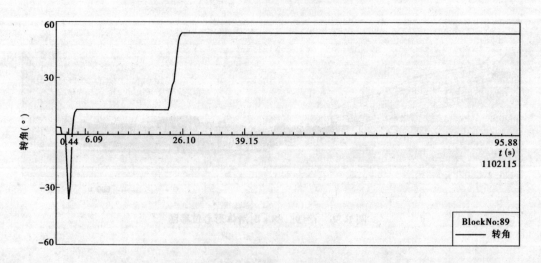

图 B-39　滑体前缘 89 块转角历时曲线

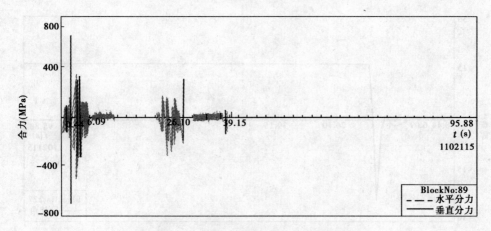

图 B-40 滑体前缘 89 块合力历时曲线

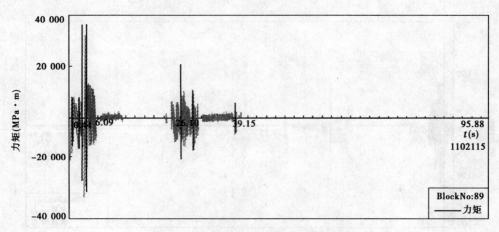

图 B-41 滑体前缘 89 块合力矩历时曲线

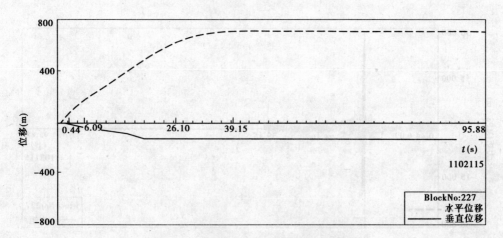

图 B-42 滑体中部 227 块线位移历时曲线

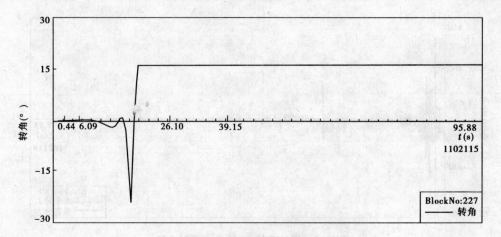

图 B-43　滑体中部 227 块转角历时曲线

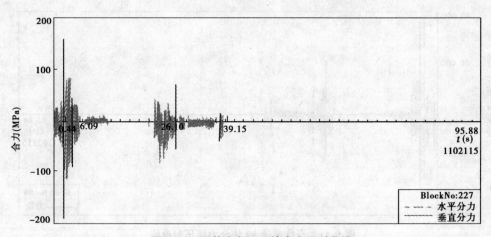

图 B-44　滑体中部 227 块合力历时曲线

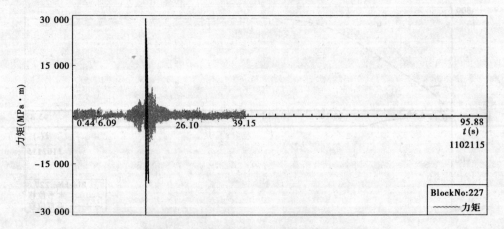

图 B-45　滑体中部 227 块合力矩历时曲线

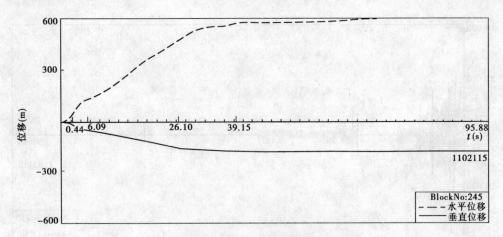

图 B-46　滑体后缘 245 块线位移历时曲线

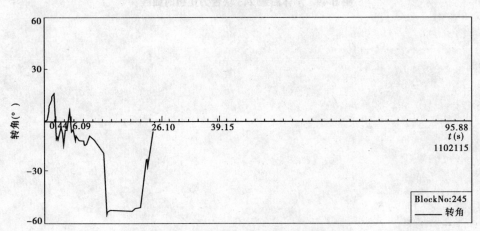

图 B-47　滑体后缘 245 块转角历时曲线

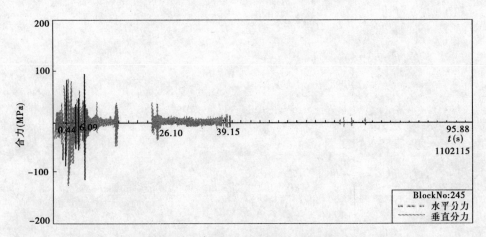

图 B-48　滑体后缘 245 块合力历时曲线

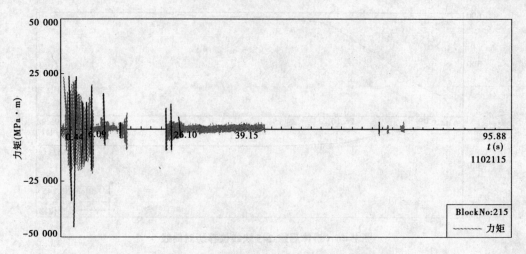

图 B-49   滑体后缘 245 块合力矩历时曲线

参 考 文 献

阿格特伯格·F·P.1980.地质数学.北京:科学出版社

艾南山.1987.论应力侵蚀.水土保持学报,1(1):15～23

艾南山.1991.应力侵蚀和泥石流.见:第二届全国泥石流学术会议论文集.北京:科学出版社

包承纲.1994.离心模拟机在岩土工程中的应用.见:工程地质及岩土工程新技术新方法论文集.武汉:中国地质大学出版社

宝成铁路技术总结委员会.1978.路基设计与塌方滑坡处理.北京:人民铁道出版社

蔡光远.1995.李家峡水电站Ⅱ号滑坡初期蓄水稳定性评价及涌浪计算:[学位论文].成都:成都理工学院

曹银真.1984.黄土地区重力侵蚀的机理及预报.中国水土保持,(4):19～22

柴贺军.1995 滑坡堵江事件及其环境效应:[学位论文].成都:成都理工学院

柴贺军,等.2000.中国堵江滑坡发育分布特征.山地学报,18(增刊):51～54

柴宗新.1999.山地灾害概念之我见.山地学报,17(1):1～6

陈崇希,成建梅.1998.关于滑坡防治中排水模式的思考.地球科学,23(2):1～4

陈传美,等.1999.郑州市土地承载力系统动力学研究.河海大学学报,(1):1～4

陈广波.1998.陕北黄土地区塑流－拉裂型滑坡地质特征及形成机理分析.见:滑坡文集编委会.滑坡文集(13).北京:中国铁道出版社

陈海军.1997.水库滑坡蓄水期具稳预测及反馈分析:[学位论文].成都:成都理工学院

陈南森.1986.调查黄土塬边古老滑坡应注意的几个问题:[学位论文].见:滑坡文集编委会.滑坡文集(5).北京:中国铁道出版社

陈胜宏.1998.加锚节理岩体流变模型及三维弹黏塑性有限元分析.水利学报,(6):1～9

陈文,等.1999.饱和黏土中静压桩挤土效应的离心模型试验研究.河海大学学报,27(6):1～9

陈新民,罗国煜.1999.基于经验的边坡稳定性灰色系统分析与评价.岩土工程学报,21(5):1～6

陈义华.1995.数学模型.重庆:重庆大学出版社

陈永波,王成华.2000.滑坡发生的危险边坡判别及预测预报分析.山地学报,18(6):559～562

陈正汉,周海清.1999.非饱和土的非线性模型及其应用.岩土工程学报,21(5):1～12

陈自生.1993.谷坡发育中的地应力因素.见:滑坡文集编委会.滑坡文集(10).北京:中国铁道出版社

陈自生.1993.自然滑坡的灾害链.见:滑坡文集编委会.滑坡文集(10).北京:中国铁道出版社

陈祖煜.1983.土坡稳定分析通用条分法及其改进.岩土工程学报,5(4):11～27

谌壮丽,等.1982.滑坡滑带土抗剪强度研究现状.见:滑坡文集编委会.滑坡文集(3).北京:中国铁道出版社

程谦恭,彭建兵.1998.高速岩质滑坡动力学.成都:西南交通大学出版社

程谦恭,等.2000.高边坡体渐进性破坏黏弹塑性有限元数值模拟.工程地质学报,8(1):25～30

崔政权,等.1992.自然边坡稳定性分析.见:岩土工程暨华蓥山边坡变形研讨会.北京:地震出版社

崔中兴,王瑞骏.1995.象山滑坡蠕动变形机理分析.水土保持学报,9(2):71～77

崔中兴,张景.1995.神经网络在滑坡预报中的应用.水土保持通报.15(5):54～57

戴福初.1997.火山岩风化坡残积土的工程特性及暴雨滑坡泥石流研究:[学位论文].北京:中国科学院地质研究所

戴福初.1999.暴雨滑坡灾害的发生机理与风险评价:[学位论文].北京:中国科学院地理研究所

戴维.M·Cruden,威廉 M·Broan.1997.世界滑坡编目的进展.见:滑坡文集编委会.滑坡文集(12).北京:

中国铁道出版社

戴自航,彭振斌.2000.某宿舍楼滑坡机理分析与治理.地质与勘探,36(4):91～94

邓辉.1995.岩石滑坡形成机制分析及治理优化设计:[学位论文].成都:成都理工学院

邓辉,黄润秋.1999.岩口滑坡的发育特征及运动过程研究.成都理工学院学报,26(3):1～6

邓辉,黄润秋.1999.岩口滑坡形成机制及稳定性评价.地质灾害与环境保护,10(3):1～7

邓清禄,王学平.2000.黄土坡滑坡的发育历史:坠覆—滑坡—改造.地球科学,25(1):44～50

邓庆共.1993.再现岩石滑坡构造裂面的物理模型实验.见:滑坡文集编委会.滑坡文集(10).北京:中国
　　铁道出版社

地质矿产部环境地质研究所.1992.中国滑坡崩塌类型及分布图.北京:中国地图出版社

地质矿产部环境地质研究所.1992.中国滑坡崩塌类型及分布图说明书(1:6 000 000).北京:中国地图出
　　版社

第三机械工业部勘测公司,等.1979.滑坡滑带土残余强度的几种试验方法.见:滑坡文集编委会.滑坡文
　　集(2).北京:人民铁道出版社

董孝璧,王兰生.2000.斜坡破坏后滑体的运动学研究.地质灾害与环境保护,11(1):31～37

丰定祥,等.1990.边坡稳定性分析中几个问题的探讨.岩土工程学报,12(3):1～9

弗·达·卡扎尔诺夫斯基.1998.铁路公路灾害防治.北京:中国铁道出版社,俄罗斯运输出版社

符文嘉.1997.堵江作坝的工程地质研究:[学位论文].成都:成都理工学院

符文嘉,等.1999.堵江滑坡作坝主要工程地质问题及实例.地质灾害与环境保护,10(1):1～5

付炜.1992.黄土丘陵沟壑区土壤侵蚀空间信息的系统分析与计量研究:[学位论文].北京:北京大学

付炜.1996.土壤重力侵蚀灰色系统模型研究.土壤侵蚀与水土保持学报,2(4):9～17

傅伯杰,陈利枯.1993.小流域土壤侵蚀危险评价研究.水土保持学报,7(2):16～19

富凤丽,等.2000.中里滑坡反分析及强度参数取值研究.长春科技大学学报,30(2):165～169

甘枝茂.1989.黄土高原地貌与土壤侵蚀研究.西安:陕西人民出版社

高大水,等.2000.虚力函数法在滑坡设计稳定分析中的应用.长江科学院院报.17(3):28～30

高野秀夫.1966.地すべりと防止工法.日本:地球出版株式会社

工程地质手册编写委员会.1992.工程地质手册.北京:中国建筑工业出版社

关君蔚.1996.水土保持原理.北京:中国林业出版社

关文章,宋献华.1993.黄土地基湿陷等级的模糊综合评判方法.勘察科学技术,(2):8～23

桂华林.1999.利用 GIS 技术分析滑坡与其因子关系:[学位论文].北京:中国科学科院山地灾害研究所

郭智勇.1999.滑坡防治及强度指标的确定:[学位论文].合肥:合肥工业大学

国家科委全国重大自然灾害综合研究组.1993.中国重大自然灾害及减灾对策(分论).北京:科学出版社

韩爱果,等.滑坡变形监测系统与地表变形关系初探.山地学报,18(增刊):108～111

韩贝传,王思敬.1999.边坡倾倒变形的形成机制与影响因素分析.工程地质学报,7(3):213～217

韩恒悦,宋立胜.1984.兰田敬家村滑坡的滑动过程.见:滑坡文集编委会.滑坡文集(4).北京:中国铁道
　　出版社

韩恒悦,等.1997.铜川滑坡变形与作用因素分析.灾害学,12(4):44～48

郝小员,等.1999.滑坡时间预报的非平稳时间序列方法研究.工程地质学报,7(3):279～283

何满潮.1997.三峡库区巫山滑坡系统的滑坡构造形变场研究:[学位论文].北京:中国矿业大学

胡广韬.1997.滑坡动力学研究的回顾与展望.地学工程进展,14(1～2):14～22

胡广韬,杨文远.1984.工程地质学.北京:地质出版社

胡海峰,康建荣.2000.基于有限元法的采动坡体稳定性计算.太原理工大学学报,31(4):343～345

胡海涛.1993.中国地质灾害类型、分布及防治建议.水文地质工程地质,(2):1～7

胡瑞林,等.2000.动荷载作用下黄土的强度特征及结构变化机理研究.岩土工程学报,22(2):174~181

胡新丽.1996.重庆钢铁公司古滑坡形成机制数值研究:[学位论文].武汉:中国地质大学

胡余道.1991.滑坡基本要素及其在实践中的意义.见:滑坡文集编委会.滑坡文集(8).北京:中国铁道出版社

滑坡文集编委会.1992.日本、法国的滑坡及其防治.见:滑坡文集编委会.滑坡文集(9).北京:中国铁道出版社

黄昌乾,丁恩保.1999.边坡工程常用稳定性分析方法.水电站设计,15(1):7~11

黄明斌,等.1999.坡地单元降雨产流分析及平均入渗带率计算.土壤侵蚀与水土保持学报,(1):1~10

黄润秋.1994.工程地质数值法.北京:地质出版社

黄润秋.2000.岩石高边坡的时效变形分析及其工程地质意义.工程地质学报,8(2):148~153

黄文勇.2000.某造纸厂热电站高边坡稳定性评价与处理.电力勘测,(1):46~49

黄英,等.2000.红土应力-应变-体变关系的归一性分析.大坝观测与土工测试,24(2):36~38

黄志全.1999.边坡演化的非线性机制及滑地预测预报研究:[学位论文].北京:中国科学院地质研究所

黄自强.2000.近期黄河流域水土保持工作的基本思路.中国水土保持 SWCC,(6):8~9

惠振德,等.1997.黄河中游河龙地区地质灾害及其治理策略.灾害学,12(1):38~42

吉祖稳,胡春宏.1998.漫滩水流水沙运动规律的研究.水利学报,(6):11~15

贾铁飞.2000.中国东部山地泥石流发育的第四纪环境背景及减灾对策.山地学报,18(2):104~109

贾雪浪.1998.统计理论非均匀挟沙能力的计算方法及其验证.水利学报,(2):1~5

姜苏阳.2000.黄河小浪底进口高边坡锚索施工.广西水利水电,21(1):1~5

姜永清,等.1999.陕北黄土高原的土壤侵蚀与综合治理.水土保持研究,6(2):1~9

蒋德麒,等.1966.黄河中游小流域泥沙来源初步分析.地理学报,(2):6~10

蒋定生.1996.论小流域综合治理与规划的指导思想.水土保持通报,16(1):11~15

蒋良文,等.2000.岷江上游汶川—较场段滑坡稳定性的神经网络评判及其堵江可能性浅析.山地学报,18(6):547~553

焦菊英,等.1999.黄土丘陵区不同降雨条件下水平梯田的减水减沙效益分析.土壤侵蚀与水土保持学报,5(3):10~13

焦玉勇,等.2000.三维离散单元法及其在滑坡分析中的应用.岩土工程学报,22(1):1~8

金仁祥,等.2000.麻柳嘴滑坡成因机制离散元数值模拟.地质灾害与环境保护,11(1):63~66

金晓媚,刘金韬.1999.四川省万县市滑坡群灾害灾情评估.工程地质学报,(1):1~5

近藤次郎.1985.数学模型.北京:机械工业出版社

靳金泉.1998.陕西省滑坡分布图与滑坡灾害预测图的编制.见:滑坡文集编委会.滑坡文集(13).北京:中国铁道出版社

靳泽先,韩庆宪.1988.黄土高原滑坡分布特征及宏观机理.中国水土保持,(6):21~25

景可,李凤新.1999.泥沙灾害类型及成因机制分析.泥沙研究,(1):1~6

居恢扬.1998.环境因素控制论及共在滑坡灾害研究中的应用.见:滑坡文集编委会.滑坡文集(13).北京:中国铁道出版社

卡森·M·A,柯克拜 M·J.1984.坡面形态与形成过程.北京:科学出版社

柯克比·M·J,摩根 R·P·C.1985.土壤侵蚀.北京:水力电力出版社

孔纪名,张晓刚.2000.多裂面斜坡滑动面聚类分析.工程地质学报,8(2):224~228

库兹勒佐夫·M·C,等.1999.坡面水流速度研究及其在土壤流失模型中的应用.水土保持研究,6(2):1~10

拉尔·R·1991.土壤侵蚀研究方法.北京:科学出版社

雷胜友.2000.加筋黄土的三轴试验研究.西安公路交通大学学报,20(2):1~5

雷祥义.1996.陕西关中人为黄土滑坡类型的研究.水文地质工程地质,(3):36~42

雷祥义,魏青珂.1998.陕北伤亡性黄土崩塌成因与对策研究.岩土工程学报,20(1):64~69

李壁成.1995.小流域水土流失与综合治理遥感监测.北京:科学出版社

李芬花,等.1998.钢筋混凝土非线性有限元实用化初探.水利学报,(10):1~7

李海芳.1999.灰场冲填原型观测成果初步分析.工程勘察,(2):1~4

李华斌.1991.滑坡滑带土微结构的定量研究及其应用:[学位论文].北京:中国地质科学研究院

李会中,等.1999.清江水布垭水电站马崖高边坡稳定性研究.长春科技大学学报,29(2):1~6

李克才,池淑兰.1997.抗滑试桩空间非线性有限元分析及设计参数的研究.见:滑坡文集编委会.滑坡文集(12).北京:中国铁道出版社

李坤.1988.黄土滑坡的形成及分布规律.见:滑坡文集编委会.滑坡文集(7).北京:中国铁道出版社

李林.1999.天体运动对斜坡稳定的影响初探.地质灾害与环境保护,10(4):1~4

李世泉,等.2000.论水土保持工程在大江水河防洪减灾中的地位与作用.中国水土保持,(1):17~19

李仕雄.1999.陕西关中地区黄土滑坡(1990~1998年)损失的经济评价与预测:[学位论文].西安:西北大学

李叔达.1983.动力地质学原理.北京:地质出版社

李树德.1997.武都白龙江流域滑坡活动性探讨.水土保持通报,17(6):28~32

李树德.1999.武都滑坡剪切滑动带特征.水土保持研究,6(4):1~5

李树德.1999.中国滑坡.泥石流灾害的时空分布特点.水土保持研究,6(4):1~6

李树森,等.1999.溃屈型滑坡滑动面切层段对稳定性的影响研究.地质灾害与环境保护,10(1):1~4

李树森,等.2000.溃屈型滑坡滑动面特征及滑带土强度参数的关联性分析.山地学报,18(增刊):34~38

李天斌,陈明东.1999.滑坡预报的几个基本问题.工程地质学报,7(3):200~206

李妥德,张颖均.1979.国内外滑坡土残余强度的研究现状.见:滑坡文集编委会.滑坡文集(2).北京:人民铁道出版社

李文秀.1996.岩土边坡稳定性的模糊测度分析.岩土工程学报,18(2):10~16

李小勇,等.1999.土性指标概率分布模型的研究.岩土工种技术,(4):1~6

李新生.1993.构造因素与滑坡.西安地质学院学报,15(增刊):119~121

李泳.2000.与泥石流有关的现象和名词.山地学报,18(2):180~186

李占斌.1998.干旱地区降雨集流效率实验研究.土壤侵蚀与水土保持学报,4(3):17~20

李占斌.1998.水文气象预报经济格式计算稳定性分析.水利学报,(2):25~39

李占斌,符素华.1997.流域降雨侵蚀产沙过程水沙递传关系研究.土壤侵蚀与水土保持学报,3(4):44~49

李占斌,符素华,鲁克新.2001.秃尾河流域暴雨洪水产沙特性研究.水土保持学报,15(2):88~91

李占斌,靳顶,符素华.1997.窟野河暴雨洪水泥沙特性.西安理工大学学报,(1):12~16

李昭淑.1988.陕西省黄土滑坡崩塌的成因分析及治理意见.见:滑坡文集编委会.滑坡文集(7).北京:中国铁道出版社

李昭淑.1991.西安市黄土塬边滑坡成因分析.见:滑坡文集编委会.滑坡文集(8).北京:中国铁道出版社

李昭淑.1991.戏河流域重力侵蚀规律的研究.水土保持通报,11(3):1~6

李志斌,郑成德.2000.滑坡、泥石流危险度评判的灰色模式识别理论与模型.系统工程理论与实践,(5):128~132

廖小平.1989.滑坡稳定性计算的初步研究:[学位论文].北京:铁道科学研究院

廖小平.1998.茅台斜坡模型试验及其有限元分析.见:滑坡文集编委会.滑坡文集(13).北京:中国铁道出版社

廖小平,等.1997.高速远程滑坡的动力分析和运动模拟.见:滑坡文集编委会.滑坡文集(12).北京:中国铁道出版社

林峰,黄润秋.2000.关于滑坡推力计算方法的合理性及改进方法的探讨.山地学报,18(增刊):69~72

林峰,等.1999.地下水对土坡稳定性的影响分析.地质灾害与环境保护,10(4):1~6

林立相,徐汉斌.1999.边坡稳定性分析的可靠度方法.山地学报,17(3):235~239

刘秉正,吴发启.1996.土壤侵蚀.西安:陕西人民出版社

刘传正.2000.地质灾害勘查指南.北京:地质出版社

刘传正,等.1998.宝鸡市狄家坡滑坡稳定性研究.工程地质学报,6(2):103~113

刘光代.1998.滑坡模型试验中重现的滑带(面)土的变形特征.见:滑坡文集编委会.滑坡文集(13).北京:中国铁道出版社

刘光代.1998.浅谈滑坡推力计算.见:兰州滑坡泥石流学术研讨会文集.兰州:兰州大学出版社

刘汉龙,余湘娟.1999.土动力学与岩土地震工程研究进展.河海大学学报,(1):1~13

刘辉文.1991.二滩水电站公路隧道位移反分析研究:[学位论文].成都:成都科技大学

刘家昌.1996.宝塔滑坡环境地质特征及稳定性分析评价:[学位论文].武汉:中国地质大学

刘黎明,林培.1993.黄土高原丘陵沟壑区土壤侵蚀定量方法与模型的研究.水土保持学报,7(3):73~79

刘万铨.2000.关于黄土高原水土流失治理方略的探讨.中国水土保持,(1):20~22

刘宪周.1998.陕西彬县百子沟滑坡预报的尝试.灾害学,13(1):53~56

刘耀涛.1996.宝塔滑坡复活变形及其防治研究:[学位论文].成都:成都理工学院

刘勇生.1988.桥台滑坡与动土压力:[学位论文].北京:国家地震局工程力学研究所

刘涌江,等.2000.泥石流危险度评价.水土保持学报,14(2):84~86

吕建红,等.1999.边坡监测与快速反馈分析.河海大学学报,27(6):1~7

吕甚悟,等.2000.紫色土坡耕地水土流失试验分析.山地学报,18(6):520~525

罗文强,等.2000.几种边坡可靠性数学模型的对比.山地学报,18(1):42~46

罗小杰.1994.滑坡活动强度的宏观模糊评价.见:工程地质及岩土工程新方法论文集.武汉:中国地质大学出版社

马崇武.1990.黄土高原重力侵蚀的力学分析:[学位论文].兰州:兰州大学

马崇武.1999.边坡稳定性与滑坡预测预报的力学研究:[学位论文].兰州:兰州大学物理科学与技术学院力学系

马崇武,苗天德.1998.对非线性破坏准则下边坡稳定性分析的线性简化.见:兰州滑坡泥石流学术研讨会文集.兰州:兰州大学出版社

马惠民,等.1998.骊山北坡坡体病害的综合勘察与整治.见:滑坡文集编委会.滑坡文集(13).北京:中国铁道出版社

马骥,等.1982.国外滑坡防治与研究现状述评.见:滑坡文集编委会.滑坡文集(3).北京:中国铁道出版社

马隆·A·W,黄润秋.2000.香港的边坡安全管理与滑坡风险防范.山地学报,18(2):187~192

马乃喜.1996.黄土地貌演化与土壤侵蚀关系的分析.水土保持通报.16(2):6~10

马平,石豫川.1999.何家山坡滑坡成因机制分析及稳定性评价.地质灾害与环境保护,10(2):1~5

马文林,等.2000.宁南山区水土流失综合治理的实践.人民黄河,22(2):30~31

马永潮.1996.滑坡整治及防治工程养护.北京:中国铁道出版社

毛彦龙.1997.地震时滑坡体波动振荡的启程加速动力学问题:[学位论文].西安:西安工程学院

门玉明,等.1997.指数平滑法及其在滑坡预报中的应用.水文地质工程地质,(1):16~18

缪林昌,殷宗泽.1998.膨胀土边坡稳定中的吸力预测.水利学报,(7):1~4

穆兴民,李锐.1999.论水土保持在解决中国水问题中的战略地位.水土保持通报,19(5)

南京水利科学研究所土工研究实验室.1983.土工离心模型试验报道.岩土工程学报,5(2):128~131

南凌,崔之久.2000.西安翠华山古崩塌性滑坡体的沉积特征及其形成过程.山地学报,18(6):502~507

倪晋仁,等.1998.泥石流的结构两相流模型:Ⅰ.理论.地理学报,53(1):1~9

潘卫东.1995.黄河李家峡水电站坝前滑坡稳定性研究:[学位论文].兰州:兰州大学

潘卫东,金波.1998.滑坡防治专家系统的研制.见:兰州滑坡泥石流学术研讨会文集.兰州:兰州大学出版社

彭波.1996.山区公路滑坡治理专家:[学位论文].武汉:武汉工业大学

彭功勋,等.1999.有限单元法在露天矿高边坡岩体稳定性研究中的应用.福州大学学报,27(2):1~4

彭建兵,等.2001.区域稳定动力学研究.北京:科学出版社

祁锋东.1998.益家村掩埋式古滑坡的复活及治理.见:兰州滑坡泥石流学术研讨会文集.兰州:兰州大学出版社

钱向东.1999.复杂基岩稳定分析的弹塑性极限平衡法.河海大学学报,27(6):1~6

钱小蓉,顾恒岳.1991.地貌营力系统及模型.见:第二届全国泥石流学术会议论文集.北京:科学出版社

钱小蓉,等.1991.河流地貌过程与耗散结构.见:第二届全国泥石流学术会议论文集.北京:科学出版社

乔建平.1999.瑞士的山地灾害研究.山地学报,17(3):1~5

曲永新,等.1999.三趾马红土与西北黄土高原滑坡.工程地质学报,7(3):257~265

冉恒谦.1996.斜坡稳定性分析的模糊综合评判应用初探.探矿工程,(6):19~22

任光明,等.1998.顺层坡滑坡形成机制的物理模拟及力学分析.山地研究.16(3):182~187

任光明,等.2000.强度再生效应在大型滑坡稳定性评价中的应用.山地学报,18(增刊):60~64

山田刚二,等.1971.地すべり·斜面崩坏の实态ヒ对策.日本:山海棠

陕西省宝鸡峡引渭灌溉管理局.1976.黄土塬滑坡的稳定性.见:滑坡文集编委会.滑坡文集(1).北京:人民铁道出版社

陕西省地质矿产局.1989.陕西省地质区域地质志.北京:地质出版社

陕西省滑坡工作办公室.1995.陕西省滑坡分布图说明书(1:750 000).西安:西安地图出版社

陕西省滑坡工作办公室.1995.陕西省滑坡灾害预测图说明书(1:750 000).西安:西安地图出版社

申力,等.1999.抚顺西露天矿边坡工程地质灾害浅析.地质灾害与环境保护,10(1):1~5

沈芳,等.2000.地理信息系统与地质环境评价.地质灾害与环境保护,11(1):6~10

沈凤生,等.1998.小浪底高边坡稳定分析研究.岩土工程学报,20(2):6~9

沈泰长.2000.加快长江流域水土保持步伐为西部开发创造良好环境.中国水土保持 SWCC,(6):10~12

水电部黄河水利委员会水土保持处.1985.侵蚀过程.北京:中国水土保持编辑部

宋克强,等.1991.黄土滑坡的模型试验研究.水土保持学报,5(2):15~21

宋昆仑,骆培云.1993.日本的滑坡研究及滑坡整治技术.水文地质工程地质,(5):10~12

宋立胜,雷祥义.1998.陕西省黄土崩塌隐患区宅基地选址方案研究.见:兰州滑坡泥石流学术研讨会文集.兰州:兰州大学出版社

宋立胜,雷祥义.1998.陕西省黄土崩塌隐患区宅基地选址方案研究.灾害学,13(1):25~29

宋孝玉,等.2000.长武黄土沟壑区不同下垫面条件农田产流产沙规律及其影响因素.水土保持学报,14(2):28~30

孙广忠,姚宝魁.1988.中国滑坡地质灾害及其研究.见:中国典型滑坡.北京:科学出版社

孙振堂.1993.成昆线东荣河滑坡稳定性与结构面长期强度研究:[学位论文].成都:西南交通大学

谭成轩,等.1999.滑坡稳定性三维数值模拟分析.长春科技大学学报,29(3):267~271

汤伏会.1990.地下开采诱发滑坡的机制分析:[学位论文].西安:西安矿业学院

唐川,等.1994.云南崩塌滑坡危险度分区的模糊综合分析法.水土保持学报,8(4):48~54

唐克丽.1999.土壤侵蚀环境演变与全球变化及防灾减灾的机制.土壤与环境,8(2):1~7

唐克丽.1999.中国土壤侵蚀与水土保持学的特点及展望.水土保持研究,6(2):1~8

唐小平,等.1999.康定白土坎滑坡特征及防治对策.地质灾害与环境保护,10(1):1~6

铁道部第一设计院.1962.铁路路基设计手册.北京:人民铁道出版社

铁道部第一勘测设计院.1999.铁路工程地质手册.北京:中国铁道出版社

铁道部科学研究院西北研究所.1976.防治铁路滑坡经验综述.见:滑坡文集编委会.滑坡文集(1).北京:
    人民铁道出版社

铁道部科学研究院西北研究所.1976.滑坡防治及研究述评.见:滑坡文集编委会.滑坡文集(1).北京:人
    民铁道出版社

铁道部科学研究院西北研究所.1976.滑坡基本性质研究(摘要).见:滑坡文集编委会.滑坡文集(1).北
    京:人民铁道出版社

铁道部科学研究院西北研究所滑坡室.1988.滑坡的规律与防治.见:滑坡文集编委会.滑坡文集(7).北
    京:中国铁道出版社

铁道科学研究院西北研究所.1976.滑坡防治及研究述评.见:滑坡文集编委会.滑坡文集(1).北京:人民
    铁道出版社

铁道科学研究院西北研究所.1977.滑坡防治.北京:人民铁道出版社

铁路滑坡分类及分布规律研究专题协作组.1979.铁路滑坡分类方案.见:滑坡文集编委会.滑坡文
    集(2).北京:人民铁道出版社

铁路滑坡分类及分布规律研究专题协作组.1979.我国铁路沿线滑坡分布规律.见:滑坡文集编委会.滑
    坡文集(2).北京:人民铁道出版社

汪小刚,等.1996.用离心模型研究岩石边坡的倾倒破坏.岩土工程学报,18(5):14~21

王德甫,等.1993.黄土重力侵蚀及其遥感调查.中国水土保持,(12):25~28

王恭先.1988.中国滑坡防治研究综述.见:滑坡文集编委会.滑坡文集(7).北京:中国铁道出版社

王恭先.1998.面向21世纪我国滑坡灾害防治的思考.见:兰州滑坡泥石流学术研讨会文集.兰州:兰州
    大学出版社

王国辉.1999.黄土构造节理对洛川塬水系沟槽发育的影响.西安工程学院学报,21(增刊)

王家鼎.1996.中国黄土山城"依山造居"的几个灾害问题讨论.西北大学学报,26(1):57~61

王家鼎,刘悦.1999.高速黄土滑坡蠕、滑动液化机理的进一步研究.西北大学学报,29(1):79~82

王家鼎,张倬元.1999.典型高速黄土滑坡群的系统工程系统研究.成都:四川科学技术出版社

王家鼎,等.1999.黄土自重湿陷变形的脉动液化机理.地理科学,19(3):1~8

王军,等.1999.重力地貌过程研究的理论与方法.应用基础与工程科学学报,7(3)

王礼先.1989.水土保持工程学.北京:中国林业出版社

王平.2000.基于地理信息系统的自然灾害区划的方法研究.北京师范大学学报,36(3):410~416

王全才,等.1998.黄土锚固技术的实验研究.见:滑坡文集编委会.滑坡文集(13).北京:中国铁道出版社

王士杰,等.1999.土工测试数据的可靠性检验.四川建筑科学研究,(1):1~6

王士天.1999.四川某水库大坝左坝肩边坡变形破坏机制及整治对策探讨.地质灾害与环境保护,10(3):
    1~5

王松龄,丰明海.2001.滑坡区岩土工程勘察与整治.北京:中国铁道出版社

王泰书.1984.铜川黄土滑坡性质的初步探讨.见:滑坡文集编委会.滑坡文集(4).北京:中国铁道出版社

王泰书.1988.陕西省的滑坡灾害及治理展望.见:滑坡文集编委会.滑坡文集(7).北京:中国铁道出版社

王泰书.1988.铜川川口黄土滑坡介绍.见:滑坡文集编委会.滑坡文集(7).北京:中国铁道出版社

王泰书.1998.对陕西滑坡灾害评估监测及防治问题的思考.见:兰州滑坡泥石流学术研讨会文集.兰州:兰州大学出版社

王泰书,等.1998.介绍一个成功预报滑坡的新典型——以彬县百子沟滑坡为例.见:兰州滑坡泥石流学术研讨会文集.兰州:兰州大学出版社

王万忠,焦菊英.1996.黄土高原降雨侵蚀产沙与黄河输沙.北京:科学出版社

王维岳,蔡秋青.1996.西宁市山地滑坡,崩塌灾害及防治对策.中国水土保持,(4):24~27

王效予.1989.大型高速滑坡机理和滑速滑程预测研究:[学位论文].合肥:中国科技大学

王协康,方铎.2000.泥石流模型试验相似律分析.四川大学学报,32(3):9~12

王秀英,等.1999.坡面土壤侵蚀产沙机理及数学模拟研究综述.土壤侵蚀与水土保持学报,5(3):1~6

王衍森,吴振业.2000.基于有限元模型的三维地应力求解方法.岩土工程学报,22(4):426~429

王裕宜,费祥俊.1999.自然界泥石流流变模型的探讨.科学通报,44(11):1~7

王园,等.1998.长江三峡巴东县黄土坡前缘斜坡变形数据本构分析预测研究.地球科学,23(2):1~6

王运生,陆彦.2000.四川雷波县黄琅崩滑堆积及其环境效应.山地学报,18(增刊):44~47

王在泉,华安增.1999.确定边坡潜在滑面的块体理论方法及稳定性分析.工程地质学报,(1):1~5

王桢.1992.裂土边坡坍滑稳定性分析.岩土工程学报,14(4):25~31

王振铎.1997.坡体平面旋转运动的初步研究.见:滑坡文集编委会.滑坡文集(12).北京:中国铁道出版社

王铮,等.1993.黄河中游地区土壤侵蚀的整体分析.水土保持学报,7(4):26~32

王正国,田小宝.1999.攀钢石灰石矿滑坡机制及防治措施研究.地质灾害与环境保护,10(1):1~5

王治华.1999.金沙江下游的滑坡和泥石流.地理学报,(2):1~8

文宝萍.1989.铜川市坡体型缓动式低速黄土滑坡的滑移机制与演化趋势:[学位论文].西安:西安地质学院

文宝萍,等.1997.黄土地区典型滑坡预测预报及减灾对策研究.北京:地质出版社

吴宏伟,等.1999.雨水入渗对非饱和土稳定性影响的参数研究.岩土力学,20(1):1~14

吴礼福.1996.黄土高原土壤侵蚀模型及其应用.水土保持通报,16(5):29~35

吴世明,等.1987.土坡稳定的非线性极限分析.岩土工程学报,9(6):27~38

吴树仁,等.长江三峡黄腊石和黄土坡滑坡分形分维分析.地球科学,25(1):61~65

吴玮,等.1996.兰州市滑坡泥石流灾害与防治.西安地质学院学报,18(3):43~50

吴玮江,赵晓明.2000.土坡稳定性计算中的问题讨论.甘肃科学学报,12(2):59~62

吴香根.2000.工程滑坡滑带土抗剪强度与地形坡度的关系.地质灾害与环境保护,11(2):145~146

伍四明.1994.万县滑坡群的工程地质研究:[学位论文].成都:成都理工学院

武雄.1999.三峡库区巴东黄土坡滑坡临界复活起跳域的预测理论与方法:[学位论文].北京:中国矿业大学

夏金梧,郭厚桢.1997.长江上游地区滑坡分布特征及主要控制因素探讨.水文地质工程地质,(1):19~21

夏元友,朱瑞赓.1999.岩质边坡稳定性多人层次模糊综合评价系统研究.工程地质学报,(1):1~7

夏元友,朱瑞赓.1998.斜坡稳定性评价神经网络专家系统 N^2ES^3E.灾害学,13(4):7~11

夏正楷.1999.黄土高原第四纪期间水土流失的地质记录和基本规律.水土保持研究,6(4):1~7

向晓斌.1998.基于 GIS 的镇江市洪水,滑坡防灾系统:[学位论文].北京:清华大学

谢修齐,等.1999.成昆铁路山坡泥石流活动危险度区划.地质灾害与环境保护,10(3):1~9

谢贻权,何福保.1981.弹性和塑性力学中的有限单元法.北京:机械工业出版社

辛鸿博,王余庆.1999.岩土边坡地震崩滑及其初判准则.岩土工程学报,21(5):1~7

邢义川,等.1999.黄土的断裂破坏强度.水力发电学报,(4):1~10

熊冰,胡小明.1999.黄土路基湿化特性的离心模型研究.四川联合大学学报,3(1):1~4

徐邦栋.1975.铁路工程地质工作中滑坡分类及其防治方案.科技通讯,(1):1~6

徐邦栋.1979.不同类型滑坡的涵义及特点.见:滑坡文集编委会.滑坡文集(2).北京:人民铁道出版社

徐邦栋.1998.滑坡稳定性判断的理论和方法.见:兰州滑坡泥石流学术研讨会文集.兰州:兰州大学出版社

徐邦栋.2001.滑坡分析与防治.北京:中国铁道出版社

徐邦栋,王恭先.1982.铁路滑坡防治研究的回顾与展望.见:滑坡文集编委会.滑坡文集(3).北京:中国铁道出版社

徐邦栋,王恭先.1986.几类滑坡的发生机理.见:滑坡文集编委会.滑坡文集(5).北京:中国铁道出版社

徐峻龄.1997.高速远程滑坡研究现状综述.见:滑坡文集编委会.滑坡文集(12).北京:中国铁道出版社

徐峻龄.1998.有关滑坡预报问题的讨论.见:兰州滑坡泥石流学术研讨会文集.兰州:兰州大学出版社

徐茂其,等.1991.九寨沟流域突发性重力侵蚀初步研究.水土保持学报,5(2):1~7

徐永年.1999.人类活动及植被对坡体滑塌的影响.泥沙研究,(1):1~6

许光祥.1999.饱水岩石边坡倾覆稳定系数计算.岩土工程学报,21(2):1~5

许强,黄润秋.2000.地质灾害的非线性数据处理与建模技术.山地学报,18(增刊):123~127

许强,黄润秋.2000.非线性科学理论在地质灾害评价预测中的应用.山地学报,18(3):272~277

许中立,李正义.1999.边坡稳定逆算分析法之应用探讨.水土保持研究,6(3):1~11

薛守义.1999.地质工程学的学术思维与基本理论.岩石力学与工程学报,18(3):357~359

晏鄂川.1998.川西地形梯度带斜坡地质灾害研究与治理工程设计.[学位论文].成都:成都理工学院

晏鄂川,等.2000.黑河金盆水库工程大坝右岸滑坡工程地质研究.山地学报,18(增刊):17~20

晏同珍.1992.易滑坡岩组概率统计特征与预测.见:滑坡文集编委会.滑坡文集(9).北京:中国铁道出版社

晏同珍.1997.滑坡的丛集性、再生性及其二项分布律.见:滑坡文集编委会.滑坡文集(12).北京:中国铁道出版社

晏同珍.1997.滑坡防治研究的技术理论.见:滑坡文集编委会.滑坡文集(12).北京:中国铁道出版社

晏同珍,李云安.1998.滑坡及其预测预报问题.见:兰州滑坡泥石流学术研讨会文集.兰州:兰州大学出版社

阳吉宝.1990.新滩滑坡特征及其力学机制分析.[学位论文].北京:中国地质大学

阳吉宝.1999.滑坡坡面位移特征及其应用.地质灾害与环境保护,10(4):1~5

杨爱明.1999.长江三峡工程库区滑坡泥石流监测系统设计与管理的研究.[学位论文].武汉:武汉水利水电大学

杨庆.2000.边坡可靠性与经济风险性分析及其应用.工程地质学报,8(1):86~90

杨天鸿,等.1999.FLAC程序在抚顺西露天矿边坡变形治理工程中的应用.地质灾害与环境保护,10(3):1~6

杨天株.1993.陕西省铁路沿线滑坡特点与治理.见:滑坡文集编委会.滑坡文集(10).北京:中国铁道出版社

杨艳生,等.1991.长江三峡区土壤坡面流及重力侵蚀.水土保持学报,5(3):16~19

姚耀武,陈东伟.1994.土坡稳定可靠度分析.岩土工程学报,16(2):80~87

叶米里扬诺娃·E·Π.1986.滑坡作用的基本规律.重庆:重庆出版社

叶伟峰,王冬珍.2000.对岩体边坡抗滑稳定安全系数取值的商榷.人民长江,31(5):14~16

易顺民,蔡善武.1999.西藏樟木滑坡活动空间分布的分维特征及其地质意义.山地学报,17(1):1~6

易顺民,晏同珍.1998.分形工程地质及其应用研究.地球科学,23(1):1~7

易顺民,晏同珍.1998.滑坡活动时空结构的分形特征及其意义.见:滑坡文集编委会.滑坡文集(13).
　　北京:中国铁道出版社

应向东.2000.黄腊石滑坡位移监测分析.长江科学院院报,17(2):54~56

游松财,李文卿.1999.GIS支持下的土壤侵蚀量估算——以江西省泰和县灌溪乡为例.自然资源学报,
　　14(1):1~10

于海峰.1994.洒勒山高速大型滑坡机制及同类滑坡预报研究:[学位论文].长春:长春地质学院

袁建平,等.1999.坡地土壤降雨入渗试验装置研究.水土保持通报,19(1):1~5

袁金荣,罗瑞佳.1999.滑坡非线性灰色预测及其软件设计.地质与勘探,35(5):56~58

袁仁茂,等.1999.水土流失的多因素分析及其防治措施.水土保持研究,6(4):1~7

袁仁茂,等.1999.镇江市滑坡灾害类型及其发育过程研究.水土保持研究,6(4):1~7

曾开华,陆兆嗦.1999.边坡变形破坏预测的混沌与分形研究.河海大学学报,27(3):1~6

张保军,等.1999.杨家槽滑坡体稳定性位移监测.长江科学院院报,16(3):1~5

张秉文,胡敏.1987.铜川铝厂滑坡动态特征及趋势预测.灾害学,(4):73~80

张德政,等.1997.用神经网络评价边坡稳定性.水文地质工程地质,(1):11~13

张汉雄,邵明安.1999.陕晋黄土丘陵区土壤侵蚀发展动态仿真研究.地理学报,(1):1~8

张汉银.1992.浅谈水土流失与土壤侵蚀.水土保持通报,12(4):53~55

张继业.1996.浐天河水库雾江滑坡滑动面黏土流变特征的研究:[学位论文].广州:中南工业大学

张家祥.1992.运用地球动力观点鉴别某矿露天边坡失稳原因.见:滑坡文集编委会.滑坡文集(9).北京:
　　中国铁道出版社

张珂.1992.斗鸡台滑坡体"超稳性"流变规律及其实际效益:[学位论文].西安:西安地质学院

张珂.1999.论地貌的平衡与演化.热带地理,19(2):1~11

张信宝,等.1989.黄土高原重力侵蚀的地形与岩性组合因子分析.水土保持通报,9(5):40~44

张兴,廖国华.1990.多滑动面边坡的破坏概率.岩土工程学报,12(6):55~62

张雄.1994.边坡稳定性分析的改进条分法.岩土工程学报,16(3):84~92

张永波,时红.2000.斜坡稳定性两级模糊综合评判.工程地质学报,8(1):31~34

张玉军,等.2000.藕塘古滑体在三峡水库形成后的平面弹塑性有限元稳定分析.工程地质学报,8(2):
　　253~256

张振中,王兰民.1998.黄土液化引起的斜坡失稳预测.见:兰州滑坡泥石流学术研讨会文集.兰州:兰州
　　大学出版社

张倬元.2000.滑坡防治工程的现状与发展展望.地质灾害与环境保护,11(2):89~97

张倬元,王士天,王兰生.1994.工程地质分析原理.北京:地质出版社

张倬元,等.1995.世界滑坡目录工作组建议的滑坡术语.地质灾害与环境保护,6(1):1~6

张宗祜.1981.我国黄土高原区域地质地貌特征及现代侵蚀作用.地质学报,(4)

章根德,剡公瑞.1999.岩体高边坡流变学性状有限元分析.岩土工程学报,21(2):1~9

赵法锁.1999.坡体平面旋转机理及稳定性研究.西安:西安地图出版社

赵法锁,等.1999.平面旋转变形边坡及形成条件初探.西北地质科学,(1):6~10

赵法锁,等.1999.平面旋转坡体的变形模式研究.西安工程学院学报,21(3):1~6

赵法锁,等.1999.平面旋转坡体形成的离散元仿真模拟研究.西北地质,32(4):1~5

赵尚学,李鸿琏.1989.正宁县地貌类型与水土流失初探.水土保持通报,9(6):45~49

赵肃菖,马惠民.1998.论坡体结构与坡体病害类型.见:兰州滑坡泥石流学术研讨会文集.兰州:兰州大
　　学出版社

赵之胜.1998.铜黄一级公路滑坡机理研究.见:兰州滑坡泥石流学术研讨会文集.兰州:兰州大学出版社

郑孝玉,曹炳兰.2000.滑坡时间预报的实验研究.长春科技大学学报,(2):170～172

中国科学院黄土高原综合科学考察队.1990.黄土高原地区土壤侵蚀区域特征及其治理途径.北京:中国
　科学技术出版社

中国岩石力学与岩土工程学会,等.1992.自然边坡稳定性分析暨华蓥山边坡变形研讨会论文集.北京:
　地震出版社

中国灾害防御协会铁道分会,中国铁道分会水工水文专业委员会.2000.中国铁路自然灾害及其防治.
　北京:中国铁道出版社

中华人民共和国地质矿产部,中华人民共和国国家科学技术委员会,中华人民共和国国家计划委员会.
　1991.中国地质灾害与防治.北京:地质出版社

钟立勋.1988.陕西铜川市的斜坡稳定性与工程地质环境保护.见:滑坡文集编委会.滑坡文集(7).北京:
　中国铁道出版社

种键.1997.滑坡稳定的模糊分析及整治优化:[学位论文].西安:西安公路交通大学

周萃英.1992.滑坡灾害的复杂性理论研究:[学位论文].武汉:中国地质大学

周萃英.2000.岩体边坡滑裂面随机搜索机理与工程应用.工程地质学报,8(2):169～174

周东,等.2000.滑坡灾害防治工程中应注意的几个问题.地质灾害与环境保护,11(2):152～153

周宏磊.1995.砂岩、泥岩互层岩体滑动形成机制和流变有限元分析及稳定性评价:[学位论文].南京:河
　海大学

周佩华.1993.黄土高原土壤抗冲性的实验方法探讨.水土保持学报,7(1)

周佩华,等.2000.黄土高原土壤侵蚀与旱地农业国家重点实验室土壤侵蚀模拟实验大厅降雨装置.水土
　保持通报,20(4):27～45

周平根.1997.滑坡的地下水作用研究:[学位论文].北京:中国科学院地质研究所

周平根,等.2000.大型滑坡地下水系统的概念模型——以长江三峡库区宝塔滑坡为例.工程地质学报,
　8(2):186～190

周维垣.1990.高等岩石力学.北京:水利电力出版社

周晓光,等.1999.十三陵上池面板堆石坝边坡稳定分析.水利学报,(1):1～5

周欣华,饶锡保.2000.大岩淌滑坡稳定性研究.长江科学院院报,17(2):41～43

周义仓,赫孝良.1999.数学建模实验.西安:西安交通大学出版社

周择福,等.2000.五台山南梁自然风景区重力侵蚀调查研究.水土保持学报,14(5):141～143

朱大勇,姜弘道.2000.边坡临界滑动场方法与应用(Ⅰ)——理论基础.水利水电科技进展,20(3):63～
　66

朱冬林,等.1999.溃屈型滑坡稳定性分析中三个问题的探讨.地质灾害与环境保护,10(4):1～5

朱海之.1988.地震崩滑与坡面破坏.中国水土保持,(5):16～17

朱平生,宋福玉.2000.滑坡工程地质图编图方法.地质灾害与环境保护,11(2):160～162

朱同新.1987.黄土地区重力侵蚀发生的内部条件及地貌临界值分析.北京:气象出版社

朱同新,陈永宗.1989.晋西黄土地区重力侵蚀产沙分区的模糊聚类分析.水土保持通报,9(2):27～34

朱显模.1989.黄土高原土壤与农业.北京:农业出版社

朱忠礼,等.1999.水土流失与地貌侵蚀.水土保持研究,6(4):1～7

訾平华,王松龄.1993.红崖地区滑坡分类及成因机理分析.见:滑坡文集编委会.滑坡文集(10).北京:中
　国铁道出版社

邹正盛,等.1998.西宁市林家崖滑坡稳定性研究.工程地质学报,6(3):199～204

左发源,齐有科.1988.我国黄土高原西部区域性滑坡的特征.见:滑坡文集编委会.滑坡文集(7).北京:

中国铁道出版社

佐佐恭二.1988.滑坡及崩塌运动的预测(上).中国水土保持,(2):26~55

佐佐恭二.1988.滑坡及崩塌运动的预测(下).中国水土保持,(3):40~47

Anderson S A, Sitar N. 1995. Analysis of rainfall-induced debris flows. J Geotech Eng,121(7):544~552

Broms B B. 1975. landslides, Foundation Engineering Handbook, Van Nostrand Reinhold Company

Chandler J, Moore R. 1989. Analytical Photo-grammetry: a method for monitoring slope instability. Quarterly Journal of Engineering Geology,(22):97~110

Dai Fuchu, Lee C F, Wang Sijing. 1999. Analysis of rainfall-induced soil slide-debris flows on natural terrain of Lantau Island, Hong Kong. Engineering Geology,51:179~190

Derbyshire E, van Asch. 1995. Modeling the erosion susceptibility of landslide catchments in thick loess: Chinese variations on a theme by Jan de Ploey. Catena,(25):315~331

Eckel E B. 1958. Landslides and Engineering Practice. Highway Research Board, Special Report 29

Hollingsworth R G S. 1981. Soil slumps and debris flows: prediction and protection. Bulletin Associaticn England Engineering Geology,(18):17~28

John T. 1998. Christian and Alfredo Urzua, Probabilistic Evaluation of Earthquake-Induced Slope Failure. Journal of Geotechnical and Geoenvironmental Engineering, Vol 124. No.11, Nov.

Larsen M C, Parks J E. 1993. Hillslope geomorphology and geo-technique. Progress in Physical Geography, 17(2):173~189

Miller D J,Sias J. 1998. Deciphering large landslides: linking hydrological groundwater and slope stability models through GIS. Hydrological Processes,(12):923~941

Montgomery D R,Sullivan K, Greenberg H M. 1998. Regional test of a model for shallow landsliding Hydrological Processes,(12):943~955

Shang Yanrui. 2000. Case study of the role that human plays in amplification and mitigation of mountain disasters. 地质灾害与环境保护,11(1):42~46

The Japan Society of Landslide and National Conference of Landslide Control. 1972. Landslide in Japan.

Vanwesteb, Terlien M T J. 1996. An approach towards deterministic landslide hazard analysis in GIS: A case study from Manizales. Earth Surface Processes and Landforms,21(9):853~868

William J. ,Petak Arthur A. Atkisson. 1993. 自然灾害风险评价与减灾政策.北京:地震出版社

Zaruba Q, menc V1. 1969. Landslides and Their Control. Publishing House of the Czechoslovek Academy of Sciences Praque

Гольдштейн М.Н.. 1960. Оползни и Инженерная Практика. Трансжелдориздат, Москва

Емельянова Е.П.. 1959. О Прогнозе Оползневы Процессов. Тр. Всес. Н-и Ин-та Гидрогеол. и Инж. Геол,Вопросы Гидрогеол. и Инж Геол. Сб. 16

Емельянова Е.П.. 1956. Обзор Современного Состояния Цэучения Ополэней за Рубежои. Тр. Всес. Н-и Ин-та Гидрогеол. и Инж. Геол, Сб. 14

后 记

《滑坡侵蚀研究》经过多年的艰难探索、研究、撰写，即将付诸印刷，作为本书的作者，封笔之时却欲罢不能，千言万语一起涌上心头，却不知道从何说起。

在水土保持领域的艰难探索与耕耘，一直是作者多年来苦苦追求的目标。特别是近几年来，在中国科学院水利部水土保持研究所攻读博士学位和西安理工大学水利工程博士后流动站从事科学研究期间，主攻黄土高原地区的滑坡重力侵蚀研究。目前，关于土壤侵蚀、水土保持和滑坡领域的研究已经十分深入，且成果颇丰。但是系统全面地运用滑坡学的理论与方法，从重力侵蚀的角度来探讨土壤侵蚀问题的研究，则是作者近些年来致力于研究的主要方向。为此，在该研究成果即将于广大读者见面之际，对给予我众多帮助的老师、同学、同志及亲友，真诚地说一声谢谢！

衷心感谢我的导师李占斌教授，他精辟的学术见解、诲人不倦的精神，使我受益匪浅。他以精湛的学术造诣、严谨而务实的学术态度，精益求精的工作作风、宽厚而乐观的为人处事态度以及崇高的思想品德，潜移默化地影响着我对滑坡侵蚀研究工作的求知过程。在日常的科研活动中，导师句句真诚的教诲，字字细心的启发以及"学科要发展，要有生命力就必须交叉"的学术指导思想已铭刻于我心底，并将深深地影响我的一生。今后的道路还很漫长，我选择了教师这份职业，任重而道远，学海无涯苦作舟，导师已为学生树立了榜样，导师的影响将对我的一生起到至关重要的作用。

衷心感谢长安大学的李佩成院士，他在日理万机的百忙之中，审阅我的书稿，为我的书稿撰写序言。李佩成院士长期以来一直是我的良师益友、我的忘年交，在我的人生几个关键时刻，他指引了我。我参加过李佩成院士的几个科研项目，在他的指导下，我的科研水平有了飞跃的进步。总之，没有李佩成院士的指引，我就没有今天，再一次感谢我的良师益友李佩成院士。西安交通大学的岳亮博士、博导，在百忙中还抽时间为我审阅书稿，提出了不少精辟的修改意见，并为我的书稿撰写序言，在这里我向他表示衷心的感谢。

在黄土高原地区开展水土保持研究，是一个充满艰辛、需要付出众多劳动和辛勤汗水的过程。将土壤侵蚀与滑坡学两门学科结合，也许让读者感到有些牵强附会，但土壤侵蚀学与化学、物理学、构造动力学等学科的交叉，已经让古老的土壤学焕发了青春和活力。这些都为作者积极开展土壤侵蚀之滑坡重力侵蚀研究提供了有益的借鉴。

　　滑坡侵蚀研究的新的学科体系已经有了雏形，目标已经明确，思路已经清晰。科学的轮船已经开始远航，这就要求自己必须抖擞精神，用百倍的精力，开始更加艰难的跋涉，开始新的探索，创造新的科学辉煌！

2005 年 3 月 25 日